Gotthard Breit, Siegfried Frech

Politik durchschauen

Leitfaden für den erfolgreichen Durchblick

WOCHEN
SCHAU
VERLAG

Bibliografische Information der Deutschen Nationalbibliothek
Die Deutsche Nationalbibliothek verzeichnet diese Publikation in der Deutschen Nationalbibliografie; detaillierte bibliografische Daten sind im Internet unter http://dnb.d-nb.de abrufbar.

2., vollständig überarbeitete Auflage

www.wochenschau-verlag.de

Umschlagabbildung: fotolia.de (S. Silver)/Wochenschau Verlag
Gedruckt auf chlorfrei gebleichtem Papier
Gesamtherstellung: Wochenschau Verlag
ISBN 978-3-7344-0568-6 (Buch)
E-Book-ISBN 978-3-7344-0569-3 (PDF)

INHALT

EINFÜHRUNG

Was dieser kleine Leitfaden soll

Der Leitfaden will eine Hilfe beim alltäglichen politischen Analysieren, Beurteilen und Handeln sein. Im Mittelpunkt dieses Buches stehen Fragen. Sie sind die Schlüssel, die Ihnen den Zugang zur Politik aufschließen. Hinter den Fragen stehen Schlüsselbegriffe (Kategorien) der Politik. Mit diesen Kategorien können Sie zum Kern der Politik vorstoßen. Dabei können Sie entdecken, dass Politik wichtig ist und spannend sein kann.

Die Fragen entlasten nicht vom selbstständigen Denken, denn die Antworten müssen Sie schon selbst suchen. Die Vielzahl der Fragen kann abschreckend wirken. Daher soll gleich zu Beginn vor zwei Missverständnissen gewarnt werden:

- Die Fragen sind ein Angebot, aus dem Sie auswählen können. Niemand soll sich verpflichtet fühlen, alle Fragen vollständig abzuarbeiten. Wenn Sie nur eine Frage zur eigenständigen Beschäftigung mit Politik auswählen, dann hat sich die Mühe der Lektüre gelohnt.
- Die Fragen sind trotz der Fülle keineswegs vollständig. Wenn Sie beim Benutzen des Handbuches eigene Fragen formulieren, dann stellt dies das beste Ergebnis Ihrer Anstrengungen dar. Um die Anwendung der Fragen zu erleichtern, werden zu-

nächst die Schlüsselfragen und Schlüsselbegriffe (Kategorien) erklärt, aufgelistet und kommentiert. Danach demonstrieren wir die Anwendung an Beispielen. Dieses Vorgehen soll Sie ermuntern, selbst mit dem Fragenangebot „großzügig“ und souverän umzugehen.

Eine übersichtliche Zusammenstellung sämtlicher Schlüsselbegriffe und Schlüsselfragen finden Sie im Mittelteil des Leitfadens. Wichtige Kriterien und Fragen zur politischen Urteilsbildung sowie eine Übersicht über politische Beteiligungsmöglichkeiten finden Sie ebenfalls im Mittelteil.

Wir sprechen im Teil Recherchetipps auch Techniken kurz an, die die Arbeit mit Zeitungstexten und mit Texten aus dem Internet erleichtern.

Schlüsselbegriffe stoßen zum Kern von Politik vor.

Politik ist für jede und jeden von uns wichtig

Für viele Bürger/-innen ist Politik ein Bereich, zu dem sie nur schwer Zugang finden. In der Politik sind Akteure am Werk, deren Namen bekannt sind und deren Gesicht man vom Fernsehen kennt. Über ihre Tätigkeit herrschen jedoch nur vage Vorstellungen. Das ist aus mehreren Gründen schade:

- Über Politik kann man täglich so viel erfahren – in den Zeitungen und im Internet, im Rundfunk und Fernsehen, aber auch durch Gespräche in der Familie und am Arbeitsplatz.
- Politik ist für jede und jeden von uns wichtig. Wir bekommen es zu spüren, wenn die Steuern erhöht werden oder der Klimaschutz verschlafen wird. Wir freuen uns alle darüber, wenn Mauern fallen und Grenzen geöffnet werden, Arbeitsplätze entstehen und verfeindete Völker aufhören, sich gegenseitig zu bekriegen.
- Politik ist spannend, unterhaltsam und voller Überraschungen. Jede Entscheidung, jedes Wahlergebnis kann eine Variante enthalten, die man nicht vorhergesehen hat. Den Werdegang von Politikern/-innen zu verfolgen und an ihren Karrieren teilzunehmen, kann bereichernd sein.
- Schließlich ist die politische Beteiligung mündiger, d. h. selbstständig denkender und handelnder Bürger/-innen für den Bestand unserer Demokratie wichtig. Politiker/-innen müssen wissen, dass sie kontrolliert werden. Sie haben aber auch einen Anspruch auf ein angemessenes Problem- und

Politikverständnis bei ihren Wähler/-innen. Nur dann werden sie sich für Problemlösungen entscheiden, die ihnen vernünftig erscheinen, auch wenn sie zunächst wehtun. Bürger/-innen, die nicht mitdenken, sondern nur schimpfen, verleiten Politiker/-innen dazu, notwendige, aber harte Entscheidungen auf die lange Bank zu schieben. Das bittere Ende für alle kommt aber bei dieser Praxis bestimmt.

„Die Politik bedeutet ein starkes langsames Bohren von harten Brettern mit Leidenschaft und Augenmaß zugleich. Es ist ja durchaus richtig, und alle geschichtliche Erfahrung bestätigt es, dass man das Mögliche nicht erreichte, wenn nicht immer wieder in der Welt nach dem Unmöglichen gegriffen worden wäre."

Aus: Max Weber (1919) 1992: Politik als Beruf. Stuttgart, S. 82. Max Weber (Foto: A. Bischoff, Jena, 1917)

Zeitungstexte – eine wichtige Informationsquelle

„Nichts ist so alt wie die Zeitung von gestern", lautet ein bekannter Satz. Wer das politische Geschehen mitverfolgen, beurteilen, politisch mitreden und mitwirken will, benötigt Informationen. Zeitungstexte sind die wichtigste Informationsquelle, mit denen

Sie das politische (Tages-)Geschehen analysieren und bewerten können. Inzwischen findet man tagesaktuelle Texte vieler Zeitungen online im Internet. In den letzten Jahren hat die Zahl derer zugenommen, die Zeitungen und Magazine nur noch im Internet lesen.

Politik erschließt sich durch das Lesen von Nachrichten, Berichten, Kommentaren und Reportagen. Tageszeitungen und Wochenzeitschriften berichten – mit unterschiedlicher Ausführlichkeit, Sachkunde und journalistischer Qualität – über Politik. In Zeitungstexten spiegeln sich in vielschichtiger Weise und jeweils anderer „Beleuchtung" die politischen Ereignisse, Debatten, Probleme, Prozesse, Strukturen und Entscheidungen unserer Zeit wider. Zudem liegen die Erzeugnisse der Tagespresse gedruckt oder online vor – also greifbar und weit weniger flüchtig als Fernseh- oder Rundfunksendungen.

POLITISCHE ANALYSE – SCHLÜSSELBEGRIFFE UND SCHLÜSSELFRAGEN

Der erste Zugang: Einstiegsfragen

Der Einstieg in die Untersuchung eines politischen Vorgangs fällt schwer. Drei einfache Fragen erleichtern den Beginn und setzen die eigene Analyse in Gang.

Diese Fragen kann man an jeden politischen Vorgang stellen:
- Worum geht es?
- Wer ist daran beteiligt? (Frage nach den Akteuren)
- Welche Interessen verfolgen die Akteure?

Ein Beispiel

Am 19. Dezember 2016 brachte der Tunesier Anis Amri einen Lastwagen in seine Gewalt. Mit diesem Lastwagen raste er in den Weihnachtsmarkt am Berliner Breitscheidplatz. Zwölf Menschen starben, 56 wurden verletzt, einige von ihnen schwer. Kurz nach dem Anschlag konnten aufmerksame Bürger/-innen im Dezember 2016 und Januar 2017 u.a. folgende Schlagzeilen lesen:

Mehrheit der Bürger spricht sich nach Anschlag von Berlin für mehr Videoüberwachung aus
(Quelle: yougov, 28.12.2016)

Kommunen fordern Videoüberwachung
(Zeit online, 26.12.2016)

Kann mehr Videoüberwachung vor Anschlägen schützen?
(faz.net, 26.12.2016)

Sicherheitspapier: Innensenator Geisel will mehr Videokameras
(Berliner Zeitung, 06.01.2017)

Datenschützer warnen vor mehr Videoüberwachung
(NDR.de, 27.12.2016)

Die drei Einstiegsfragen erleichtern die Untersuchung eines politischen Vorgangs.

▸ **Worum geht es?** Nach dem Terroranschlag am 19. Dezember 2016 in Berlin wurde mehr Videoüberwachung gefordert.

- **Wer ist daran beteiligt?** Einige Parteien befürworten eine verstärkte Videoüberwachung, andere Parteien und Datenschützer lehnen dies ab. Wie Kommentare und Leserbriefe in den Zeitungen zeigen, gibt es in der Bevölkerung Unterstützer und Kritiker dieser Maßnahmen. Andere haben keine Meinung dazu.
- **Welche Interessen verfolgen die Akteure?** Die Parteien sorgen sich um die Sicherheit bzw. um die Freiheit der Bürger/-innen. Zudem versprechen sie sich von ihren Forderungen Unterstützung bei kommenden Wahlen. Es geht ihnen also – wie fast immer in der Politik – um Problemlösung und Machterwerb bzw. Machterhalt und daher in einer Demokratie um Wählerstimmen. Die Bürger/-innen wollen entweder mehr Sicherheit vor Anschlägen und Verbrechen oder den Schutz ihrer Privatsphäre und damit ihrer Freiheit.

Diese Einstiegsfragen und ihre Antworten vermitteln einen ersten Eindruck von Politik. Doch es bleiben viele Fragen offen. Wer sich besser informieren möchte, muss weiter fragen.

POLITIKBEGRIFFE

Die richtigen Fragen an die Politik können Sie nur stellen, wenn Sie eine Vorstellung davon haben, was Politik ist. In der Politik geht es im Wesentlichen um drei Dinge: (1) um die Bestimmung von Zielen; (2) um die Bewältigung von Aufgaben und insbesondere um die Lösung von Problemen; (3) um den Erwerb und den Erhalt von Macht.

Politikbegriff 1: Die drei Dimensionen des Politischen

Politiker/-innen möchten Ziele bestimmen, Aufgaben bewältigen und Probleme lösen. Dazu benötigen sie Macht. Das Bemühen um Aufgabenbewältigung und das Streben nach Macht führen zu Konflikten. Politiker/-innen haben Konkurrenten – in der eigenen Partei und in den anderen Parteien. Diese wollen auch Probleme lösen – und zwar auf ihre Art. Daher streben auch sie nach Macht. In der Politik wird immer um Inhalte und zugleich auch um Macht gestritten. Diese Konflikte werden in einem Handlungsrahmen ausgetragen. Dieser Rahmen bestimmt die Art und Weise der politischen Auseinandersetzungen.

Bei einem politischen Vorgang kann man zwischen drei Dimensionen unterscheiden. Sie können unterscheiden zwischen:

- der Dimension **Inhalt** von Politik (policy), d.h. den Aufgaben von Politik (Ziele benennen, Aufgaben in Angriff nehmen, Probleme erkennen, Problemlösungen entwickeln);
- der Dimension **Prozess** von Politik (politics), d.h. den Auseinandersetzungen zwischen den politischen Akteuren um die Bewältigung dieser Aufgaben und den Erhalt bzw. den Erwerb von Macht;
- der Dimension **Form** von Politik (polity), d.h. dem Handlungsrahmen, in dem diese Konflikte ausgetragen werden. In der Innenpolitik wird der Handlungsrahmen wesentlich von der Verfassung (Grundgesetz) bestimmt.

Will man nun einen politischen Vorgang aufschlüsseln, kann man nach genau diesen drei Dimensionen fragen. Wenn man die Frage nach dem Inhalt von Politik stellt, stößt man zumeist auf Probleme. Stellt man die Frage nach dem Prozess, trifft man fast immer auf Auseinandersetzungen. Und fragt man schließlich nach der Form von Politik, entdeckt man den Handlungsrahmen, in dem diese Auseinandersetzungen ausgetragen werden (Verfassung, Rechtsordnung).

Diese Unterscheidung ist eigentlich gar nicht so schwer. Eine inhaltliche, prozessuale und formale Dimension hat auch das Geschehen in einer Familie oder in einem Fußballverein. Menschen bewegen sich auch hier innerhalb von Regelungen, die den Handlungsrahmen (Form) festlegen. Es geht um Aufgaben, Entscheidungen und Problemlösungen (Inhalt) und es werden

Auseinandersetzungen darüber nach unterschiedlichen Interessen ausgetragen (Prozess).

Politik durchschauen mit den Fragen zu den drei Dimensionen des Politischen

Damit Sie die drei Dimensionen Inhalt, Prozess und Form angemessen analysieren und verstehen können, helfen ihnen die nachfolgenden Schlüsselfragen weiter.

Fragen zur Untersuchung eines politischen Problems (Inhalt)

Schlüsselbegriffe	Schlüsselfragen
Inhalt und Ausmaß	Worum geht es? Welches Problem soll gelöst werden? Welches Ausmaß hat das Problem?
Ursache	Was sind die Ursachen des Problems?
Folgen	Welche Folgen zieht das Problem nach sich?
Lösungen	Welche Problemlösungen werden genannt?
Folgen	Welche Folgen sind bei einer Problemlösung vorhersehbar? Welche unerwünschten Nebenwirkungen können eintreten?

Fragen zur Untersuchung einer politischen Auseinandersetzung (Prozess)

Schlüsselbegriffe	**Schlüsselfragen**
Akteure	Wer ist an der Auseinandersetzung beteiligt?
Verlauf	Wie verläuft die Auseinandersetzung? Wer setzt sich durch?
Interesse	Welche Interessen verfolgen die Akteure? In wessen Interesse liegt eine bestimmte Problem- bzw. Konfliktlösung?
Macht, Herrschaft, Einfluss	Welche Möglichkeiten besitzen die Akteure, ihre Interessen gegenüber anderen durchzusetzen?
Methoden der Interessendurchsetzung	Welche Methoden wenden die Akteure zur Durchsetzung ihrer Interessen an?
Legitimation	Sind die Akteure zu ihrem Vorgehen berechtigt (legitimiert)? Welche Gründe führen sie zur Rechtfertigung ihres Vorgehens an?

Fragen zur Untersuchung des politischen Handlungsrahmens (Form)

Schlüsselbegriffe	Schlüsselfragen
Recht	Welche rechtlichen Grenzen sind den Akteuren gesetzt?
Institution/Organisation	Welche Institution bzw. Organisation vertreten die Akteure?
Aufgaben, Funktion	Welche Aufgaben hat die einzelne Institution (Organisation)?
Aufbau	Wie ist die Institution (Organisation) aufgebaut?
Abhängigkeit/Verflechtung	Wie hängen die Institutionen (Organisationen) voneinander ab? Wie arbeiten sie zusammen?
Kontrolle	Wer übt Kontrolle aus?
Rechte und Schutz der Bürger/-innen	Welche Rechte und Beteiligungsmöglichkeiten besitzen die Bürger/-innen? Welchen Schutz genießen sie?

Anwendung der Schlüsselfragen an zwei Beispielen

Zur Analyse eines politischen Vorgangs trifft man eine Auswahl aus den angebotenen Schlüsselbegriffen und Schlüsselfragen. Wenn notwendig, entwickelt man weitere dazu. Im Folgenden werden nicht alle aufgelisteten Schlüsselbegriffe und Schlüsselfragen herangezogen. Die Dimensionen des Politischen und die dazu entwickelten Tabellen mit Begriffen und Fragen haben ihren Zweck erfüllt, wenn Ihnen damit der Einstieg in die Analyse leicht fällt.

▸ **Eine Frage – mehrere Antwortmöglichkeiten** Auf jede Frage gibt es unterschiedliche Antwortmöglichkeiten. Im „Ernstfall" müssen Sie zu den Fragen eine Antwort finden, die Sie begründen und ggf. in einer Diskussion gut vertreten können. Die folgenden Antworten sollen lediglich die Anwendung der Dimensionen des Politischen mit den Schlüsselbegriffen und Schlüsselfragen demonstrieren.

Beispiel 1

Anwendung der Schlüsselfragen zur Untersuchung eines Zeitungstextes

Die Schlüsselbegriffe und Schlüsselfragen zu den Dimensionen des Politischen sollen zunächst an einem gekürzten Zeitungstext demonstriert werden.

IHK sorgt sich wegen Fahrverboten in Stuttgart

Kein Kompromiss beim Lieferverkehr

Von Josef Schunder, 31. März 2017

Nach Ansicht der Industrie- und Handelskammer muss es bei Fahrverboten in Stuttgart viele Ausnahmen geben – nicht nur für den klassischen Lieferverkehr. Die Kammer fordert ein Konzept für Luftreinhaltung und Mobilität mit längerer Perspektive.

Stuttgart – Die Industrie- und Handelskammer (IHK) Region Stuttgart will, dass der komplette Wirtschaftsverkehr in Stuttgart freie Fahrt behält. Ob Lieferwagen, Dienstwagen der Altenpflegerin, Mitarbeiter- oder Kundenauto: Die Fahrverbote, die 2018 an Tagen mit Feinstaubalarm im Talkessel sowie in Feuerbach und Zuffenhausen für Dieselautos unterhalb der Euro-Norm 6 verhängt werden, sollen hier nicht greifen. „Wir brauchen Ausnahmeregelungen für den gesamten Wirtschaftsverkehr, nicht nur für Teile", forderten IHK-Präsidentin Marjoke Breuning und Hauptgeschäftsführer Andreas Richter bei einer Pressekonferenz – sieben Tage vor einer Anhörung von Verbänden durch das Verkehrsministerium. Beim Wirtschaftsverkehr redet man von 25 bis 30 Prozent des Verkehrsaufkommens in Stuttgart, sagten die IHK-Oberen. 67 Prozent der gewerblich genutzten PKW wären ohne Befreiung von den Fahrverboten betroffen und sogar 96 Prozent der Nutzfahrzeuge. Konkret bedroht von den Fahrverboten seien rund 160 000 IHK-Mitgliedsbetriebe in der Region. Die Innenstadt müsse aber funktionsfähig bleiben.

(Quelle: http://www.stuttgarter-zeitung.de/inhalt.sorgen-wegen-fahrverboten-in-stuttgart-ihk-kein-kompromiss-beim-wirtschaftsverkehr.af8981df-a007-4009-b45c-480b7572e21a.html)

Quelle: Gerhard Mester

Wer die Fragen zur Untersuchung eines politischen Problems, des politischen Handlungsrahmens und der politischen Auseinandersetzung an diesen Textauszug stellt, erhält trotz der Kürze des Zeitungstextes erstaunlich viele Antworten.

Dimension: Inhalt des Politischen

- **Worum geht es? Welches Problem soll gelöst werden? Welches Ausmaß besitzt das Problem?** (Schlüsselbegriffe Inhalt und Ausmaß): Im Talkessel der Stadt Stuttgart sowie in Feuerbach und Zuffenhausen herrscht häufig Feinstaubalarm. Feinstaub gefährdet die Gesundheit. Die Überschreitung eines bestimmten Tageswerts für Feinstaub ist an 35 Tagen im Jahr erlaubt. Dieser Tageswert wird in Stuttgart jedes Jahr an mehr als 35 Tagen überschritten. Die Stadt ruft daher zwischen Oktober und April regelmäßig den sogenannten Feinstaubalarm aus und appelliert an Bewohner und Pendler, das Auto möglichst nicht zu benutzen.
- **Was sind die Ursachen des Problems?** (Schlüsselbegriff Ursache): Dieselautos unterhalb der Euro-Norm 6 tragen zu der Feinstaubbelastung bei.
- **Welche Folgen zieht das Problem nach sich?** (Schlüsselbegriff Folgen): Die Feinstaubbelastungen insbesondere durch Dieselfahrzeuge haben ein Ausmaß angenommen, das nicht mehr hingenommen werden kann. Für 2018 müssen Änderungen durchgeführt werden.
- **Welche Problemlösungen werden genannt?** (Schlüsselbegriff Lösungen): Maßnahmen zur Einschränkung des Verkehrsaufkommens von Dieselfahrzeugen stehen zur Diskussion. An Tagen mit Feinstaubalarm sollen ab 2018 Fahrverbote für Dieselautos unterhalb der Euro-Norm 6 verhängt werden. Über die Rechtmäßigkeit des Verbots wird derzeit entschieden.

▸ **Welche Folgen (unerwünschte Nebenwirkungen) sind vorhersehbar?** (Schlüsselbegriff Folgen): 96 Prozent der Nutzfahrzeuge und insgesamt 67 Prozent der gewerblich genutzten PKW wären von diesen Fahrverboten betroffen. Rund 160 000 IHK-Mitgliedsbetriebe in der Region sehen sich von diesen Fahrverboten bedroht.

Dimension: Prozess des Politischen

▸ **Wer ist daran beteiligt?** (Schlüsselbegriff Akteure): In dem Text dominiert der Akteur IHK. Bei genauem Durchlesen erfährt man, dass nicht nur die IHK mit dem Problem befasst ist („sieben Tage vor einer Anhörung von Verbänden“). Der Akteur, der die Entscheidung trifft, ist das Verkehrsministerium. Daneben gibt es die EU. Auf diesen Akteur macht der Hinweis „unterhalb der Euro-Norm 6“ aufmerksam.

▸ **Wie verläuft die Auseinandersetzung? Wer setzt sich durch?** (Schlüsselbegriff Verlauf): Die Auseinandersetzung steht erst ganz am Anfang. Auf einer Pressekonferenz fordert die IHK geradezu ultimativ freie Fahrt für den ganzen Wirtschaftsverkehr. Andere Akteure werden andere, gegensätzliche Forderungen erheben. Zu diesem Zeitpunkt lässt sich keine Aussage über den Ausgang dieser Auseinandersetzung machen.

▸ **Welche Interessen verfolgt die IHK?** (Schlüsselbegriff Interesse): Die IHK stellt die Notwendigkeit von Maßnahmen bei Feinstaubalarm nicht in Frage. Ihr Interesse zielt auf Ausnahmeregelungen, die dem kompletten Wirtschaftsverkehr und damit ihren „rund

160 000 IHK-Mitgliedsbetrieben" auch bei Feinstaubalarm „freie Fahrt" ermöglicht.

▸ **Welche Möglichkeiten besitzt die IHK, ihre Interessen durchzusetzen?** (Schlüsselbegriffe Macht, Herrschaft, Einfluss): Darüber sagt der Text wenig aus. Der Hinweis auf die Funktionsfähigkeit der Innenstadt, die die IHK offensichtlich mit wirtschaftlicher Funktionsfähigkeit gleichsetzt, aber macht deutlich, dass sich die IHK ihrer wirtschaftlichen Bedeutung und damit ihrer Macht durchaus bewusst ist. Für die Regierung enthält der Satz „Die Innenstadt müsse aber funktionsfähig bleiben." die Drohung, bei Zuwiderhandeln mit einer nicht funktionsfähigen Innenstadt und damit mit unhaltbaren Zuständen konfrontiert zu werden.

▸ **Welche Methode wendet die IHK zur Durchsetzung ihrer Interessen an?** (Schlüsselbegriff Methoden der Interessendurchsetzung): Mit der Pressekonferenz sieben Tage vor einer Anhörung von Verbänden durch das Verkehrsministerium versucht die IHK, die Öffentlichkeit für ihre Interessen zu gewinnen. Niemand kann an einer Funktionsunfähigkeit der Innenstadt interessiert sein.

▸ **Welche Gründe führt die IHK zur Rechtfertigung ihrer Forderung an?** (Schlüsselbegriff Legitimation): Die IHK „fordert ein Konzept für Luftreinhaltung und Mobilität mit längerer Perspektive" und setzt sich damit für das Wohl der Allgemeinheit ein. Ebenso dient die von ihr geforderte Ausnahmeregelung der Funktionsfähigkeit der Innenstadt und damit der gesamten Region Stuttgart. Sie stellt danach keine Vergünstigung für die rund 160 000 IHK-Mitgliedsbetriebe dar.

Dimension: Form des Politischen

Zum Verständnis der politischen Auseinandersetzung sind Kenntnisse des politischen Handlungsrahmens wichtig, in dem dieser Prozess stattfindet.

- **Welche Aufgaben hat die IHK Region Stuttgart?** (Schlüsselbegriff Institution/Organisation): Eine Recherche bei Google ergibt unter dem Stichwort „IHK Region Stuttgart" folgende kurze Information: „Die IHK vertritt die Interessen von 155 000 Mitgliedsunternehmen gegenüber Bund, Land und EU. Die IHK informiert und berät in allen wirtschaftlichen Fragen."
- **Wer trifft die Entscheidung?** (Schlüsselbegriff Institution/Organisation): Die Entscheidung über Maßnahmen gegen die Feinstaubbelastung für 2018 trifft nicht die IHK, sondern das Verkehrsministerium. Vor der Entscheidung führt das Ministerium eine Anhörung der davon betroffenen Verbände durch.
- **Welche rechtlichen Grenzen sind der IHK gesetzt?** (Schlüsselbegriff Recht): Die IHK kann freie Fahrt für den kompletten Wirtschaftsverkehr in Stuttgart fordern und dafür in einer Pressekonferenz werben. Die Entscheidung trifft das Verkehrsministerium.
- **Wer übt Kontrolle aus?** (Schlüsselbegriff Kontrolle): In dem Text ist von der Euro-Norm 6 die Rede. Eine Recherche in Google (April 2017) ergibt, dass 2016 in Stuttgart der in der EU gültige Jahresgrenzwert für Feinstaub an mehr als 35 Tagen überschritten

worden ist. Daher droht die EU mit einer Klage. Zur Abwendung dieser Klage müssen Maßnahmen ergriffen und der EU gemeldet werden.

▸ **Welche Rechte und Beteiligungsmöglichkeiten besitzen die Bürger/-innen?** (Schlüsselbegriff Rechte und Schutz der Bürger/-innen): Ebenso wie die IHK können auch die Bürger/-innen allein oder über Organisationen auf ihre Interessen aufmerksam machen und versuchen, auf die Entscheidung des Verkehrsministeriums Einfluss zu nehmen. In ihrem Organisationsgrad sind sie der IHK deutlich unterlegen. Ihr Einfluss darf aber nicht unterschätzt werden, schließlich entscheiden sie bei den nächsten Wahlen über das Schicksal der bestehenden Regierung.

Beispiel 2: Anwendung der Schlüsselfragen zur Untersuchung eines Zeitungskommentars

Der Anlass des Kommentars (vgl. S. 27) war die Vorlage des Nitratberichts durch das Bundesumwelt- und das Bundeslandwirtschaftsministerium. Dieser Bericht wird alle vier Jahre von der EU-Kommission eingefordert. Zusammen mit dem Bundeslandwirtschaftsministerium legte die Bundesumweltministerin Barbara Hendricks (SPD) den in ihrem Ministerium ausgearbeiteten Nitratbericht vor. Danach findet sich im deutschen Grundwasser zu viel Nitrat. Verursacht wird dies durch einen übermäßigen Einsatz von Gülle und stickstoffhaltigem Dünger auf den Äckern. Überdüngung trägt aber auch zum Klimawandel bei, „weil Nitrat sehr häufig zu Lachgas reduziert wird. Das ist ein

Klimagas, das 300-mal schädlicher ist als CO_2" (Friedhelm Taube in einem Interview in der taz vom 5.1.2017, S. 9).

Zugleich kündigte die Ministerin an, eine neue, schon seit Jahren angekündigte Düngeverordnung werde Mitte Januar 2017 den Bundestag passieren. Die Verordnung werde den Anforderungen der EU-Kommission entsprechen. Dazu veröffentlichte die Braunschweiger Zeitung am 5. Januar 2017 einen Kommentar von Andre Dolle.

Zu viel Gülle und Dünger führen zu hohen Nitratwerten, die das Grundwasser belasten.
Quelle: pixabay

Der Verbraucher zahlt

Kommentar von Andre Dolle

Deutsche verdienen gut, doch im europäischen Vergleich geben sie wenig für Fleisch, Eier oder Milch aus. Viele Verbraucher tragen daher eine Mitschuld an der Misere der Landwirte. Die müssen – um auf dem Markt bestehen zu können – viele Lebensmittel produzieren. Und das möglichst billig. Das geht meistens nur mit Massentierhaltung. Diese sorgt für viel Gülle, welche die Landwirte auf den Ackerflächen verteilen. Das wiederum führt zu hohen Nitratwerten, die das Grundwasser belasten. Indirekt tragen Verbraucher daher auch eine Mitschuld an der schlechten Wasserqualität. Beim Trinkwasser wird das Nitrat herausgefiltert, was teuer ist und den Wasserpreis nach oben treibt. Die Zeche zahlt der Verbraucher – ein Teufelskreislauf. Bundesumweltministerin Barbara Hendricks macht es sich zu einfach, wenn sie mit dem Finger allein auf die Landwirte zeigt. Die Politik versagt seit Jahren, eine neue Düngeverordnung vorzulegen, mit der auch die Landwirte leben können. Man darf besonders gespannt sein, wie sich Niedersachsens Agrarminister Meyer nun als Vorsitzender der Agrarministerkonferenz schlägt.

Die EU-Kommission hatte Deutschland schon im November wegen zu hoher Nitratwerte vor dem Europäischen Gerichtshof verklagt. Der Druck ist da, jetzt muss eine Lösung her. Unsere Böden und das Grundwasser haben ein langes Gedächtnis.

(Braunschweiger Zeitung, 05.01.2017, S. 4)

Wer die Fragen zur Untersuchung eines politischen Problems, des politischen Handlungsrahmens und der politischen Auseinandersetzung an diesen Kommentar stellt, erhält trotz seiner Kürze viele Antworten.

- **Welches Problem soll gelöst werden?** (Schlüsselbegriffe Inhalt und Ausmaß): Zu hohe Nitratwerte belasten das Grundwasser.
- **Was sind die Ursachen des Problems?** (Schlüsselbegriff Ursachen): Der deutsche Verbraucher gibt wenig Geld für Fleisch, Eier oder Milch aus. Die Landwirte versuchen, mit Massentierhaltung viele Lebensmittel möglichst billig zu produzieren.
- **Welche Folgen zieht das Problem nach sich?** (Schlüsselbegriff Folgen): Die dabei entstehende Gülle wird auf den Ackerflächen verteilt, die so mit ihren zu hohen Nitratwerten das Grundwasser belastet.
- **Welche Problemlösungen werden genannt?** (Schlüsselbegriff Lösungen): Die Politik muss versuchen, eine Düngeverordnung vorzulegen, die zu hohe Nitratwerte verhindert und mit der die Landwirte dennoch leben und existieren können.
- **Welche Institution übt Druck aus, den unbefriedigenden und gefährlichen Zustand zu beenden?** (Schlüsselbegriff Institution/Organisation): Die EU-Kommission hat Deutschland im November 2016 vor dem Europäischen Gerichtshof verklagt.
- **Wer ist an der Auseinandersetzung beteiligt?** (Schlüsselbegriff Akteure): In dem Kommentar werden folgende Akteure genannt: Landwirte, Verbraucher, die Politik und dabei insbeson-

dere Bundesumweltministerin Barbara Hendricks, die Agrarministerkonferenz und deren Vorsitzenden Meyer (Agrarminister in Niedersachsen) sowie die EU-Kommission und den Europäischen Gerichtshof.

- **Welche Interessen vertreten die Akteure?** (Schlüsselbegriff Interesse): Landwirte und Verbraucher verursachen aus finanziellen Gründen zu hohe Nitratwerte. Ihnen ist der Geldvorteil wichtiger als die Umwelt. Die „Politik" bzw. die dafür Verantwortung tragenden Minister/-innen gehen nur halbherzig dagegen vor, weil sie es sich mit den Landwirten und Verbrauchern als den zukünftigen Wähler/-innen nicht verderben wollen. Die EU-Kommission, die mit der Überwachung beauftragt ist, will zu hohe Nitratwerte unterbinden und hat Deutschland vor dem Europäischen Gerichtshof verklagt. Immer mehr Bürger/-innen setzen sich für eine Reduzierung des Fleischverbrauchs ein, um ihre Gesundheit, aber auch das Klima und die Umwelt zu schützen. Die Mehrheit der Bevölkerung allerdings verzehrt viel Fleisch, das sie möglichst billig zu erwerben versucht.
- **Welche Möglichkeiten besitzen die Akteure, ihre Interessen gegenüber anderen durchzusetzen?** (Schlüsselbegriffe Macht, Herrschaft, Einfluss): Der Verbraucher hat die Macht, eine Änderung herbeizuführen, wenn er seine Einkaufs- und Essgewohnheiten zugunsten des Grundwassers und damit seiner eigenen Wasserversorgung und des Klimaschutzes ändert. Die Landwirte werden alles tun, eine für sie schädliche Düngeverordnung zu verhindern. Die Politik bemüht sich, gegen zu hohe Nitratwerte

vorzugehen, agiert dabei aber vorsichtig, weil sie bei der neuen Düngeverordnung wie bei jeder politischen Entscheidung an Landtagswahlen und die Bundestagswahl denken muss. Die EU-Kommission überwacht die Einhaltung ihrer Vorgaben. Stellt sie Verstöße fest, ist sie verpflichtet, dagegen vorgehen. Die deutsche Politik (Bundesregierung) besitzt aber großen Einfluss in Brüssel (Europäischer Rat, Ministerrat). Es wäre schon eine Überraschung, wenn eine Klage vor dem Europäischen Gerichtshof zu hohen Strafzahlungen führen würde.

▸ **Wie verläuft die Auseinandersetzung? Wer setzt sich durch?** (Schlüsselbegriff Verlauf): Wenn man eine politische Aufgabe, ein politisches Problem und die Auseinandersetzung darüber mit Hilfe der Begriffe und Fragen der drei Dimensionen des Politischen untersucht hat, ist man fähig, den Fortgang des politischen Prozesses weiter zu verfolgen. Hier können einem die Begriffe und Fragen des Politikzyklus weiterhelfen. Die Untersuchung der Auseinandersetzung, die nach der Veröffentlichung des Nitratberichts im Januar 2017 einsetzt, wird deshalb mit Hilfe der Phasen und Fragen des Politikzyklus fortgesetzt.

POLITIKBEGRIFF 2: DER POLITIKZYKLUS

Ähnlich wie die drei Dimensionen des Politischen kann Ihnen auch der Politikzyklus den Zugang zur Politik „aufschließen". Im Politikzyklus wird Politik als eine Kette niemals zu Ende kommender Bemühungen zur Bewältigung von bestehenden und ständig neu entstehenden Problemen verstanden. Diese Kette kann in

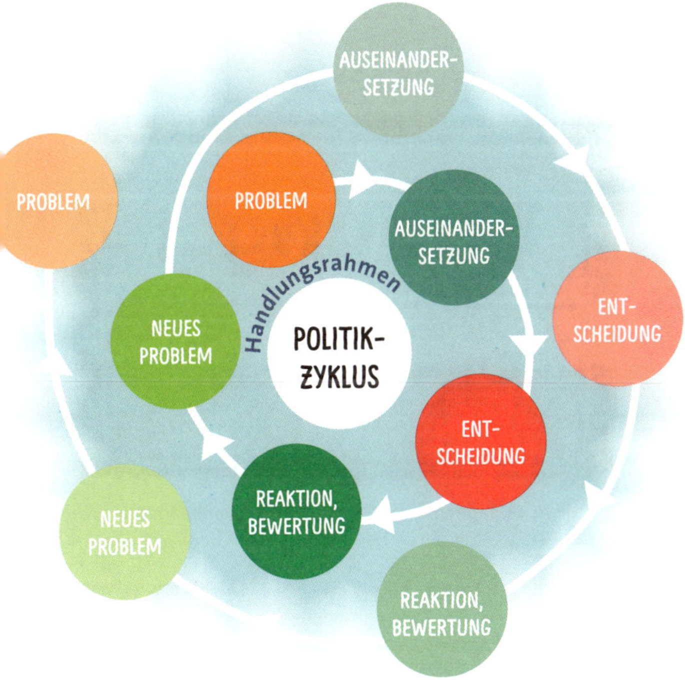

Zyklen unterteilt werden. Am Anfang eines jeden Zyklus steht ein Problem. Die nächste Phase bildet die Auseinandersetzung um die Lösung dieses Problems. Die Auseinandersetzung führt zu einer Entscheidung. Diese Entscheidung löst Bewertungen und Reaktionen aus. Aus der Entscheidung und den Reaktionen darauf ergibt sich wiederum ein neues Problem. Aus ihm entsteht am Ende wieder ein Zyklus, der erneut einen weiteren Zyklus nach sich zieht. Politik erscheint so als permanenter Prozess der Problembewältigung.

Politik ist ein permanenter Prozess der Problembearbeitung und Problemlösung.

Quelle: fotolia/Marem

Dieser Prozess findet in einem Handlungsrahmen statt, der auf den Prozess einwirkt.

Politikzyklus	Handlungsrahmen
Problem (Aufgabe, Streitfrage) ▼ Auseinandersetzung ▼ Entscheidung, Ergebnis ▼ Reaktionen, Bewertungen ▼ neues Problem (neue Aufgabe, neue Streitfrage)	**Innenpolitik:** • Verfassung und Rechtsordnung eines Landes • Institutionen und das Gefüge gegenseitiger Abhängigkeit der Institutionen und Organisationen **Außenpolitik:** • System der internationalen Beziehungen, Völkerrecht

Politik durchschauen mit den Fragen zu den Phasen des Politikzyklus

Wie bei den Dimensionen des Politischen können auch im Politikzyklus den einzelnen Phasen Schlüsselbegriffe zugeordnet werden, mit denen sich Untersuchungsfragen bilden lassen. Schlüsselbegriffe und Fragen zu den Phasen **Problem** und **Auseinandersetzung** sowie zum **Handlungsrahmen** sind Ihnen schon von den drei Dimensionen des Politischen her bekannt.

Fragen zur Untersuchung eines Politikzyklus

Phasen	Schlüsselbegriffe	Untersuchungsfragen
Problem	Inhalt und Ausmaß Ursachen Lösungen	Worum geht es? Welches Problem soll gelöst werden? Welches Ausmaß hat das Problem? Was sind die Ursachen des Problems? Welche Problemlösungen werden genannt?
Auseinandersetzung	Akteure Interessen	Wer ist an der Auseinandersetzung beteiligt? Welche Interessen verfolgen die Akteure?
Entscheidung	Ergebnis, Inhalt, Erfolg	Wie sieht die Entscheidung aus? Zu welchem Ergebnis hat die Auseinandersetzung geführt? Welche Lösung wurde gefunden? Wer setzt sich durch? In wessen Interesse liegt die Entscheidung/Problemlösung?
Reaktionen, Bewertungen	offen gebliebene Fragen Akteure	Welche Fragen sind offen geblieben? Was ist gelöst worden? Wie reagieren beteiligte bzw. betroffene Akteure auf die Entscheidung? Wie bewerten sie das Ergebnis?
Neues Problem	Inhalt	Welches neue Problem entsteht aus der Entscheidung und deren Bewertung?

Hinweis: Um die Fragen übersichtlich und handhabbar zu gestalten, werden hier nur verhältnismäßig wenige Schlüsselbegriffe genannt. Zu den Phasen **Problem** und **Auseinandersetzung** können aus dem Dimensionen-Modell zusätzlich Begriffe übernommen werden. Zu den übrigen Phasen lassen sich leicht weitere Schlüsselbegriffe und Schlüsselfragen entwickeln.

Bei einem Politikzyklus dürfen die Fragen nach dem Handlungsrahmen keinesfalls vernachlässigt werden.

Politikzyklus	**Handlungsrahmen**	**Schlüsselfragen**
Problem ▼ Auseinandersetzung ▼ Entscheidung ▼ Reaktionen, Bewertungen ▼ Neues Problem	Verfassung und Rechtsordnung eines Landes, der EU und des Systems der internationalen Beziehungen	Wir wirkt der Handlungsrahmen auf die einzelnen Phasen ein? Welche Bestimmungen (der Verfassung, der Rechtsordnung oder des Völkerrechts) und/oder welche Teile des politischen Systems bzw. des Systems der internationalen Beziehungen beeinflussen die einzelnen Phasen?

Anwendung des Politikzyklus an einem Beispiel

Die einzelnen Phasen des Politikzyklus zeigen sich besonders deutlich bei Bundestags- oder Landtagswahlen und der anschließenden Regierungsbildung.

Phase Aufgabe, Problem

▸ **Worum geht es?**
Ein neuer Landtag, ein neuer Bundestag muss gewählt werden.

▸ **Welche Aufgabe, welches Problem soll gelöst werden?**
Kandidaten/-innen der Parteien stellen sich als mögliche zukünftige Abgeordnete für das Landesparlament oder für den Bundestag zur Wahl.

▸ **Welches Ausmaß hat das Problem, die Aufgabe?**
In einer Demokratie sind Wahlen von großer Bedeutung. Die zukünftige Politik eines Landes wird maßgeblich vom Ausgang einer Wahl bestimmt.

▸ **Was sind die Ursachen des Problems, der Aufgabe?**
Das Grundgesetz der Bundesrepublik Deutschland nennt in Artikel 20 den maßgeblichen Verfassungsgrundsatz (Verfassungskern): „Alle Staatsgewalt vom Volke aus. Sie wird vom Volke in Wahlen [...] ausgeübt."

Phase Auseinandersetzung

▸ **Wer ist an der Auseinandersetzung beteiligt?** Im Wahlkampf kämpfen die Vertreter/-innen der einzelnen Parteien mit unterschiedlichen Mitteln und Methoden um die Gunst der Wähler/-innen. Viele Parteimitglieder setzen sich aktiv dafür ein, dass ihre Partei in der Öffentlichkeit wahrgenommen und bekannt wird. Zugleich versuchen sie, sich von anderen Parteien abzugrenzen. Die Wähler/-innen sind aufgefordert, lange und sorgfältig über ihre Stimmabgabe am Wahltag nachzudenken.

▸ **Welche Interessen verfolgen die Akteure?** Die Parteien wollen mit ihren Kandidaten/-innen ins Parlament gelangen. Dazu müssen sie mindestens fünf Prozent der im gesamten Wahlgebiet abgegebenen Stimmen erringen (Fünfprozentklausel). Parteien, die unterhalb dieser Sperrklausel liegen, werden bei der Verteilung der Abgeordnetenmandate nicht berücksichtigt. Alle Parteien wollen möglichst so viele Stimmen gewinnen, dass sie nach der Wahl an der Regierungsbildung beteiligt sind. Die Wähler/-innen prüfen während des Wahlkampfes, welche Partei ihren Interessen entspricht.

Phase Entscheidung

▸ **Wer trifft die Entscheidung?** Der Wahlsonntag gehört den Wähler/-innen. Sie allein treffen die Entscheidung. An diesem Tag sind sie der einzige Akteur. Für Politiker/-innen ist „es immer ein sehr merkwürdiger Tag, eine unheimliche Stille. Jeder denkt, hoffentlich ist es bald 18 Uhr“ (Heiner Geißler/CDU).

Ein neuer Zyklus beginnt

Phase neues Problem, neue Aufgabe

▸ **Welches neue Problem, welche neue Aufgabe entsteht aus der Entscheidung und deren Bewertung?** Um 18 Uhr schließen die Wahllokale. Die Wahl ist zu Ende und das Fernsehen gibt erste Prognosen bekannt. Alle Fragen, Streitpunkte, Meinungsumfragen und Präsentationen im Fernsehen und auf Wahlveranstaltungen sind mit einem Schlag uninteressant geworden. Nun beginnt eine neue Aufgabe. Von jetzt an geht es nur noch darum, wer die nächste Regierung bildet. Hat eine Partei die Mehrheit errungen und kann sie allein die Regierung bilden, dann ist die Lösung einfach. Müssen sich zwei oder gar drei Parteien zu einer Koalition zusammentun, setzt eine spannende Auseinandersetzung ein.

Neue Auseinandersetzung

Vertreter der Koalitionsparteien müssen sich über ein Sachprogramm und die Verteilung der Ämter einig werden.

Neues Ergebnis

Am Ende dieses Prozesses steht der Koalitionsvertrag (oder der Versuch, eine Regierung zu bilden, beginnt aufs Neue).

Neue Aufgaben, neues Problem

Ist der Koalitionsvertrag zustande gekommen, müssen ihm die Regierungsfraktionen und Regierungsparteien zustimmen.

Neue Auseinandersetzung

Erfahrungsgemäß bricht in den Koalitionsparteien eine heftige Diskussion aus, ob dem Koalitionsvertrag zugestimmt werden kann oder nicht.

Neue Aufgabe, neues Problem

Schließlich muss der Chef der neuen Regierung (Bundeskanzler, Ministerpräsident) im Parlament gewählt werden.

Die Bundestagswahl 2017 und der anschließende lang andauernde Prozess des Versuchs einer Regierungsbildung veranschaulichen die Auffassung von Politik als einer Kette von Bemühungen zur Bewältigung von bestehenden und ständig neu entstehenden Problemen. In einem ersten Zyklus stellte sich nach der Wahl heraus, dass die bestehende Regierungskoalition von CDU/CSU und SPD nicht fortgesetzt werden konnte. Eine Regierung ließ sich nur mit den Parteien CDU/CSU, Die Grünen und FDP bilden. Sondierungsgespräche begannen. Nach wochenlangen Bemühungen war aber dieser Versuch gescheitert und damit der zweite Zyklus am Ende. Um Neuwahlen zu vermeiden, wurde danach erneut die Bildung einer Koalition von CDU/CSU und SPD versucht (neuer Zyklus). Um dies zu erreichen, mussten vor allem in der SPD große Hürden überwunden werden. Schließlich wurden Sondierungsgespräche aufgenommen. Nach Abschluss dieser Gespräche fand am 21.1.2018 in Bonn ein Sonderparteitag der SPD statt. In hitzigen Debatten diskutierten die Delegierten das Für und Wider einer Regierungsbildung unter Beteiligung der SPD. Schließlich stimmte eine knappe Mehrheit für die Aufnahme von Koalitionsverhandlungen mit der CDU/CSU.

Damit beginnt wieder ein neuer Zyklus. CDU/CSU und SPD müssen in den Koalitionsverhandlungen zu einer Übereinkunft gelangen. Die SPD führt dazu eine Mitgliederbefragung durch.

Der (lange) Weg zur Regierung	
24. September 2017	Bundestagswahl
23. Oktober 2017	1. Treffen der Jamaika-Fraktionen: Union, FDP, Grüne
24. Oktober 2017	Der neue Bundestag tritt erstmals zusammen
18. November	Abbruch der Jamaika-Sondierungen
13. Dezember	Spitzenrunde CDU
20. Dezember	Spitzenrunde SPD
4.–6. Januar 2018	CSU-Klausur
7.–12. Januar 2018	Sondierungsgespräche: Union, SPD
21. Januar 2018	SPD-Sonderparteitag, Abstimmung über Koalitionsverhandlungen
22. Januar 2018	Beginn konkreter Verhandlungen über den Koalitionsvertrag
Februar	SPD-Mitgliederentscheid über Koalitionsvertrag
Februar	Bei CDU und CSU dürfte ein Parteitag letztes Entscheidungsgremium sein
März	Möglicherweise Wahl der Kanzlerin im Bundestag

In der SPD entscheiden nach Abschluss der Koalitionsverhandlungen die Mitglieder über das Zustandekommen einer Regierungskoalition von CDU/CSU und SPD.

Danach beginnt wieder ein neuer Zyklus. Bei Drucklegung des Buches war der Ausgang der Koalitionsverhandlungen einschließlich des Mitgliederentscheids und damit der Fortgang oder Abbruch der Regierungsbildung in einer Koalition von CDU/CSU und SPD noch nicht absehbar.

Bei einer Regierungsbildung interessiert jeder neue Zyklus die Öffentlichkeit. Bei anderen Prozessen zur Bewältigung von Problemen ist das nicht immer der Fall. Hier erfordert es die große Aufmerksamkeit kritischer Zeitungsleser/-innen, die Entwicklung von einem Politikzyklus zum nächsten zu verfolgen. Das verdeutlicht das folgende Beispiel. Dabei geht es um die Reinheit von Trinkwasser.

Beispiel: Anwendung der Schlüsselfragen aus dem Politikzyklus zur Untersuchung von Zeitungstexten

Wir knüpfen bei der Anwendung des Politikzyklus an den Zeitungsbericht über die Nitratbelastung und die Düngeverordnung an (vgl. S. 27). Mit Hilfe kurzer Zeitungstexte wird die Untersuchung der politischen Vorgänge um die Nitratbelastung Anfang des Jahres 2017 fortgesetzt. Die Zeitungstexte werden zwei Phasen aus dem Politikzyklus zugeordnet und mit den dazu gehörenden Fragen ausgewertet.

1. Zeitungsbericht: Phase der Auseinandersetzung

Fleischproduktion nicht drosseln

Berlin. Der Bauernverband hat sich gegen Forderungen nach einer gedrosselten Fleischproduktion zum Klimaschutz gewandt. „Wir setzen bei Verbesserungen der Technik an, um mit Innovationen mehr Klimaschutz zu erreichen – etwa beim Ausbringen von Gülle“, sagte Bauernpräsident Joachim Rukwied. Eine Reduktion der Tierhaltung hätte zur Folge, dass Produkte in anderen Ländern erzeugt würden, die keine moderne Technik einsetzten. „Das würde Klimaschutzziele konterkarieren.“ Umweltschützer fordern weniger Fleischkonsum.

(Braunschweiger Zeitung, 11.1.2017, S. 9)

▸ **Wer ist an der Auseinandersetzung beteiligt? Welche Interessen verfolgen die Akteure?** Die Auseinandersetzung wird um die Drosselung der Fleischproduktion geführt. Der Bauernverband, ein Akteur, der bislang noch nicht genannt wurde, will zum Klimaschutz mit Innovationen „etwa beim Ausbringen von Gülle“ beitragen. Mit anderen Worten, er will sowohl die Fleischproduktion als auch den Einsatz der Gülle im gewohnten Umfang, wenn auch mit neuen Methoden, beibehalten. Umweltschützer dagegen fordern weniger Fleischkonsum, um das Ausmaß der Düngung mit Gülle und die damit verbundenen Klima- und

Umweltbelastungen zu verringern. Die für Januar von der Bundesumweltministerin angekündigte Reform der Düngeverordnung und die Reaktion der EU-Kommission werden über das vorläufige Ergebnis der Auseinandersetzung Aufschluss geben.

2. Zeitungsbericht

Neues Düngerecht

Berlin. Der Weg für ein neues Düngerecht ist frei. Bundesagrarminister Christian Schmidt (CSU) sagte, der Kompromiss sehe fordernde, aber für Landwirte machbare Regelungen für einen besseren Wasserschutz vor. So seien zusätzliche Düngevorgaben für Gebiete mit kritischen Nitratwerten im Grundwasser vorgesehen. Eine entsprechende Einigung sei mit Bundesumweltministerin Barbara Hendricks (SPD), dem Vorsitzenden der Länder-Agrarministerkonferenz, Christian Meyer (Grüne/Niedersachsen), Mecklenburg-Vorpommerns Ressortchef Till Backhaus (SPD) und einem Vertreter Baden-Württembergs gefunden worden. Schmidt will die nötigen Entwürfe noch im Januar in die Abstimmung geben. dpa

(Süddeutsche Zeitung, 12.01.2017, S. 27)

Diese kurze Meldung dämpft die Erwartungen auf eine rasche Reform der Düngeverordnung. Im Januar sollen die Entwürfe in die Abstimmung gegeben werden. Im Januar 2017 wird daher aller Wahrscheinlichkeit nach die Düngeverordnung noch nicht bekanntgegeben werden können. Der Bundesagrarminister spricht von einem Kompromiss, an dessen Zustandekommen mehrere Minister/-innen verschiedener Parteien mit unterschiedlichen Ausrichtungen beteiligt sind. Gelingt hier ein Konsens, dann sind Zweifel angebracht, ob die neue Düngeverordnung den strengen Anforderungen der EU-Kommission genügen wird.

Quelle: Gerhard Mester

3. Zeitungsbericht: Phase der Entscheidung

Am Tag darauf berichtet die Frankfurter Allgemeine Zeitung:

Weg für die Düngereform ist frei
Umwelt- und Agrarressort einigen sich mit den Ländern

rike. BERLIN, 12. Januar. Nach jahrelangem Ringen ist der Weg nun offenbar frei für eine Änderung des deutschen Umweltrechts. [...] Mit der geplanten Novelle von Düngeverordnung und Düngegesetz soll nun alles besser werden. [...] Nach der Einigung vom Mittwoch (11. Januar) muss Bundeslandwirtschaftsminister Christian Schmidt einen überarbeiteten Entwurf der Düngeverordnung vorlegen. Das Düngegesetz soll noch im Januar vom Bundestag verabschiedet werden. Im März könnte der Bundesrat dann über das Gesamtpaket aus Gesetz und Verordnung abstimmen. Kritik kam von den Grünen im Bundestag. Friedrich Ostendorff, agrarpolitischer Sprecher der Grünen-Fraktion, bezweifelte, dass der Kompromiss den Kriterien der EU-Kommission genüge.

(Frankfurter Allgemeine Zeitung, 13.1.2017, S. 20)

▸ **Wie sieht die Entscheidung aus?** In diesem Text erfährt man zum ersten Mal, um was es genau geht und welche Entscheidungen anstehen. Es geht um eine Änderung nicht nur der Düngeverordnung, sondern auch des Düngegesetzes. Verabschiedet der Bundestag noch im Januar das Düngegesetz, dann ist eine erste

Entscheidung gefallen. Die Auseinandersetzung wird danach um die Abstimmung im Bundesrat über das Gesamtpaket aus Gesetz und Verordnung geführt werden. Dann geht der Prozess weiter bis zu einer Entscheidung der EU-Kommission.

4. Zeitungsbericht

Bundestag ändert das Düngegesetz
Umwelt- und Agrarressort einigen sich mit den Ländern

Am vergangenen Donnerstag (16. Februar 2017) änderte der Bundestag das Düngegesetz. Auf dieser Grundlage soll eine neue Düngeverordnung Obergrenzen für die Stickstoffdüngung in Gebieten mit kritischen Werten festlegen. Zudem sollen vorgeschriebene Abstände zu Gewässern ausgeweitet werden. Die neue Düngeverordnung sei ein „ausgewogener Ausgleich" zwischen Umweltschutz und den Anforderungen der bäuerlichen Praxis, sagte Maria Flachsbart (CDU), Staatssekretärin im Bundesagrarministerium. Bei der Kontrolle seien die Länder gefordert.

(taz, 21.2.2017, S. 21)

Entgegen den Erwartungen, die am 12. Januar in der Süddeutschen Zeitung und am 13. Januar 2017 in der Frankfurter Allgemeinen Zeitung geweckt worden waren, konnte das Düngegesetz erst am 16. Februar 2017 im Bundestag geändert werden. Für die Zeitverzögerung waren wahrscheinlich Auseinandersetzungen zwischen der Bundesumweltministerin Barbara Hendricks (SPD) und dem Bundesagrarminister Christian Schmidt (CSU) verantwortlich, die dem „ausgewogenen Ausgleich" zwischen Umweltschutz und den Anforderungen der bäuerlichen Praxis vorausgingen.

Der Bundesrat stimmte am 31. 3. 2017 zu. Damit ist der politische Prozess aber sicher nicht am Ende. Nach Vorhersagen des Umweltbundesamtes wird das Trinkwasser in vielen Regionen Deutschlands wegen der zu hohen Nitratbelastung des Grundwassers schon in nächster Zeit spürbar teurer werden (Mehrbelastung für eine vierköpfige Familie etwa 134 € pro Jahr). Die Überdüngung von Feldern durch landwirtschaftliche Betriebe gilt als Hauptgrund für die hohen Nitratwerte (Frankfurter Allgemeine Zeitung, 12. 6. 2017, S. 17). Inzwischen forderte deshalb der Bundesverband der Energie- und Wasserwirtschaft die EU-Kommission auf, an ihrer Klage gegen Deutschland festzuhalten (Süddeutsche Zeitung, 12. 6. 2017, S. 19). Selbst wenn die EU-Kommission ihre Klage zurückzieht, kann die Prognose gewagt werden, dass die Auswirkungen der Düngung auf das Trinkwasser die deutsche Innenpolitik und die EU-Politik noch einige Zeit beschäftigen werden.

Die Untersuchung des Prozesses mit Hilfe weiterer Zeitungstexte zeigt, dass Politik eine Kette von Versuchen zur Bewältigung von gesellschaftlichen Gegenwarts- und Zukunftsproblemen ist. Mit der Änderung des Düngegesetzes (siehe 3. Zeitungsbericht, S. 45) erhält man nur eine Momentaufnahme von dem Prozess, der schon seit langem im Gange ist und sich zukünftig noch über einen geraumen Zeitraum fortsetzen wird.

Erst mit der Verfolgung der nächsten Phasen und Zyklen dieses Prozesses bekommt man eine Vorstellung von dem Ausmaß und von den Schwierigkeiten mehrerer Akteure mit unterschiedlichen Interessen, zu einem Konsens zu finden und eine Entscheidung herbeizuführen, bei der aber von vorneherein feststeht, dass sie unter Umständen nur eine kurze Zeit Bestand haben wird. Der Politikzyklus eröffnet den Blick für den Prozess von Politik als „ein starkes langsames Bohren von harten Brettern mit Leidenschaft und Augenmaß zugleich“ (Max Weber).

Das Wichtigste im Überblick

Einstiegsfragen

Diese Fragen kann man an jeden politischen Vorgang stellen:

- **Worum geht es?**
- **Wer ist daran beteiligt?**
- **Welche Interessen verfolgen die Akteure?**

Fragen zur Untersuchung eines politischen Problems (Inhalt)

Schlüsselbegriffe	Schlüsselfragen
Inhalt und Ausmaß	Worum geht es? Welches Problem soll gelöst werden? Welches Ausmaß hat das Problem?
Ursache	Was sind die Ursachen des Problems?
Folgen	Welche Folgen zieht das Problem nach sich?
Lösungen	Welche Problemlösungen werden genannt?
Folgen	Welche Folgen und unerwünschten Nebenwirkungen sind vorhersehbar?

Fragen zur Untersuchung einer politischen Auseinandersetzung (Prozess)

Schlüsselbegriffe	Schlüsselfragen
Akteure	Wer ist an der Auseinandersetzung beteiligt?
Verlauf	Wie verläuft die Auseinandersetzung? Wer setzt sich durch?
Interesse	Welche Interessen verfolgen die Akteure? In wessen Interesse liegt eine bestimmte Problem- bzw. Konfliktlösung?

Macht, Herrschaft, Einfluss	Welche Möglichkeiten besitzen die Akteure, ihre Interessen gegenüber anderen durchzusetzen?
Methoden	Welche Methoden wenden die Akteure zur Durchsetzung ihrer Interessen an?
Legitimation	Sind die Akteure zu ihrem Vorgehen berechtigt (legitimiert)? Welche Gründe führen sie zur Rechtfertigung ihres Vorgehens an?

Fragen zur Untersuchung des politischen Handlungsrahmens (Form)

Schlüsselbegriffe	Schlüsselfragen
Recht	Welche rechtlichen Grenzen sind den Akteuren gesetzt?
Institution/ Organisation	Welche Institution bzw. Organisation vertreten die Akteure?
Aufgaben, Funktion	Welche Aufgaben hat die einzelne Institution (Organisation)?
Aufbau	Wie ist die Institution (Organisation) aufgebaut?
Abhängigkeit/ Verflechtung	Wie hängen die Institutionen (Organisationen) voneinander ab? Wie arbeiten sie zusammen?
Kontrolle	Wer übt Kontrolle aus?
Rechte und Schutz der Bürger/-innen	Welche Rechte und Beteiligungsmöglichkeiten besitzen die Bürger/-innen? Welchen Schutz genießen sie?

Inhalt und Ausmaß
Worum geht es? Welches Problem soll gelöst werden? Welches Ausmaß hat das Problem?

Ursachen
Was sind die Ursachen des Problems?

Lösungen
Welche Problemlösungen werden genannt?

Akteure
Wer ist an der Auseinandersetzung beteiligt?

Interessen
Welche Interessen verfolgen die Akteure?

Ergebnis, Inhalt
Wie sieht die Entscheidung aus? Zu welchem Ergebnis hat die Auseinandersetzung geführt? Welche Lösung wurde gefunden?

Erfolg
Wer setzt sich durch? In wessen Interesse liegt die Entscheidung/Problemlösung?

offen gebliebene Fragen
Welche Fragen sind offen geblieben? Was ist gelöst worden?

Akteure
Wie reagieren beteiligte bzw. betroffene Akteure auf die Entscheidung? Wie bewerten sie das Ergebnis?

Inhalt
Welches neue Problem entsteht aus der Entscheidung und deren Bewertung?

Urteilskriterien und Urteilsfragen

- **Spontanes Urteil:** Wie beurteile ich eine politische Entscheidung bzw. einen dafür verantwortlichen Politiker/eine Politikerin spontan „aus dem Bauch" heraus?
- **Eigenes Interesse:** Entspricht die politische Entscheidung meinem persönlichen Interesse? Handelt der Politiker/die Politikerin im Sinne meiner Interessen?
- **Überprüfung des eigenen Urteils:** Ist mein Urteil mit den Menschen- und Bürgerrechten des Grundgesetzes bzw. mit dem Völkerrecht vereinbar?
- **Effizienz (zweckrationale Überlegungen):** Ist die Entscheidung geeignet, das angestrebte Ziel zu erreichen? Rechtfertigt das Ziel die angewandten Mittel? Stehen die Kosten in einem vertretbaren Verhältnis zum angestrebten Nutzen?
- **Legitimität (wertrationale Überlegungen):** Entspricht die politische Entscheidung den demokratischen Grundwerten?
- **Verantwortbarkeit der vorhersehbaren Folgen:** Werden auch die vorhersehbaren Folgen einer Entscheidung bedacht? Sind diese Folgen verantwortbar?

Politische Beteiligungsmöglichkeiten in einer Demokratie

Sich demokratisch verhalten ...

selbstständig denken und handeln	nicht Vordenkern folgen, sondern sich „seines eigenen Verstandes bedienen" (Kant); sich eine eigene Meinung bilden; in Diskussionen die eigene Position vertreten, aber auch davon abweichende Meinungen anhören und ernst nehmen; für eigene Interessen eintreten und Konflikte austragen, aber auch Mehrheitsbeschlüsse anerkennen; in der persönlichen Umgebung (Schule, Freizeit) Verantwortung übernehmen
sich sozial verhalten	den anderen wahrnehmen; mit dem anderen gewaltfrei umgehen; den anderen als prinzipiell gleichwertig ansehen; sich dem anderen gegenüber anständig (fair und hilfsbereit) verhalten; sich für den anderen aus Mitgefühl oder Gerechtigkeitsempfinden heraus einsetzen
sich ökologisch verantwortungsvoll verhalten	sich für Umweltfragen interessieren; Umweltprobleme ernst nehmen; „in Verantwortung für die künftigen Generationen die natürlichen Lebensgrundlagen und die Tiere" (Art 20 a GG) schützen

Seine Bürgerrechte wahrnehmen …

mit Behörden umgehen	auf Schreiben einer Behörde „aufrecht“ reagieren; sich für sein Anliegen bei der Verwaltung Gehör verschaffen, eine Gegendarstellung vorbringen; ggf. eine Dienstaufsichtsbeschwerde abfassen
für sein Recht eintreten	die Möglichkeiten des Rechtsstaates kennen und nutzen; wenn es geboten erscheint, den Rechtsweg beschreiten; das Petitionsrecht bei den Länderparlamenten, dem Bundestag und dem Europäischen Parlament nutzen

Politisch selbstständig denken …

sich informieren	auch den politischen Teil der Zeitung lesen; Nachrichten hören; sich im Internet über Politik informieren; täglich Tagesschau ansehen; politische Rundfunk- und Fernsehsendungen verfolgen; Wahlkampfveranstaltungen besuchen; politische Bücher lesen
sich eine eigene Meinung über Politik bilden	politische Vorgänge interessiert verfolgen; Aussagen, Ankündigungen und Versprechungen mit Skepsis aufnehmen; „Vordenkern“ mit Distanz begegnen; Vorgänge selbstständig analysieren und sich ein eigenes Urteil darüber bilden
eine eigene politische Handlungsorientierung entwickeln	nach der Bildung eines eigenen politischen Urteils über politische Handlungsmöglichkeiten nachdenken

Politische Beteiligungsmöglichkeiten in einer Demokratie

Politisch aktiv werden …

die eigene Meinung sagen	mit anderen über Politik reden; in Versammlungen sich mit Wortmeldungen, Beifall oder Protest beteiligen; undemokratischen (z.B. rechtsextremen) Argumenten widersprechen
an die Öffentlichkeit gehen	einen Leserbrief schreiben; eine Wandzeitung/Plakat anfertigen; sich an die Presse wenden
im Internet aktiv werden	sich im Internet aktiv an politischen Diskussionen beteiligen; politische Beiträge im Netz kommentieren oder teilen; einer (politischen) Gruppe in Facebook beitreten; sich an einer Onlinepetition beteiligen; an einem Flashmob mit politischem Hintergrund teilnehmen; Texte und Fotos mit politischen Inhalten ins Netz stellen; Politiker/-innen über Kurznachrichtendienste (z.B. Twitter) kontaktieren

sich organisieren	sich mit anderen zusammentun, um etwas durchzusetzen; eine Demonstration organisieren; sich an einer Bürgerinitiative beteiligen; Mitglied in einem Verband oder einer Partei werden
politisch aktiv werden	zur Wahl gehen; an einer Bürgeranhörung teilnehmen; Bürgerbegehren unterstützen; sich an einem Bürgerentscheid beteiligen; für politische Forderungen demonstrieren; Aufgaben in einer Bürgerinitiative, einem Verband oder einer Partei übernehmen; bei Wahlen kandidieren; als gewählter Vertreter Verantwortung übernehmen
sich unkonventionell verhalten	bürgerlichen Ungehorsam beweisen; gewaltlosen Widerstand leisten (Vorsicht! Vorhersehbare Folgen abwägen!)
keine Gewalt anwenden	Gewalt ist kein Spaß und hat in einer Demokratie keinen Platz. Gewalt ist bei uns kein Mittel der politischen Auseinandersetzung. Gewaltanwendung wird als Verbrechen bestraft. Gewalt führt zum „Krieg aller gegen alle" (Thomas Hobbes).

POLITISCHE URTEILSBILDUNG

Das Grundmodell der politischen Urteilsbildung – Urteilskriterien und Urteilsfragen

Ein leicht handhabbares Modell der Urteilsbildung setzt sich aus drei Teilen zusammen: (1) Spontanes Urteil, (2) Urteilsbildung nach eigener Interessenlage und (3) Überprüfung des eigenen Urteils mit Hilfe des Grundgesetzes.

(1) Spontanes Urteil

Jeder von uns urteilt häufig (ohne groß zu überlegen) spontan und emotional „ aus dem Bauch heraus“ über Politik und Politiker/-innen. Ein Satz wie „Die Merkel mag ich (mag ich nicht).“ wird ohne großes Nachdenken nach persönlicher Sympathie bzw. Abneigung gebildet. Auch den Satz „Die Entscheidung halte ich für gut.“ spricht man ohne großes Nachdenken leicht und unbekümmert aus. Trotz der Ausblendung von Rationalität (Vernunft) stellen sich spontan gebildete Aussagen über Politik und Politiker/-innen im Rückblick oftmals als weitblickend und zutreffend heraus. Man macht sich dabei allerdings nicht klar, ob Gefühle, eigene Interessen oder eigene Wertentscheidungen zu den spontan gebildeten Aussagen geführt haben. Es fördert das Vertrauen in die eigene Selbstständigkeit und Unabhängigkeit, wenn man seine spontan und gefühlsmäßig getroffenen Aussagen mit Hilfe von Urteilskriterien systematisch durchdenkt, auf diesem Wege überprüft und gegebenenfalls ändert.

(2) Eigenes Interesse als Grundlage der Urteilsbildung

Zur Urteilsfindung kann man fragen: „Bringt mir die politische Maßnahme (Problemlösung, Entscheidung) Vor- oder Nachteile? Liegt sie in meinem Interesse?" Politische Entscheidungen und die dahinter stehenden politischen Akteure (Politiker/-innen, Parteien) nach den eigenen Interessen zu beurteilen, erscheint auf den ersten Blick egoistisch, ist aber gerechtfertigt. In einer Demokratie besitzen Bürger/-innen das Recht und die Freiheit, von ihrer Interessenlage aus Politik zu beurteilen.

(3) Überprüfung des eigenen Urteils mit Hilfe des Grundgesetzes

Zur Überprüfung des spontan oder entsprechend der eigenen Interessenlage gebildeten Urteils kann man nach der Vereinbarkeit mit der Menschenwürde und den Menschen- und Grundrechten (Grundgesetz Artikel 1-19) fragen. Ein Kind kann vor dem Tod gerettet werden, wenn man den Täter rechtzeitig zum Sprechen bringt. Ist in dieser Ausnahmesituation die Folter erlaubt? Die Orientierung an Menschenrechten und damit am Grundgesetz verbietet ein solches Vorgehen. Wer diese Maßnahmen trotzdem fordert, verstößt gegen die Verfassung.

Das erweiterte Modell der politischen Urteilsbildung – Urteilskriterien und Urteilsfragen

Zur Vertiefung der eigenen Urteilsüberlegungen werden weitere Urteilskriterien vorgestellt und zur Anwendung empfohlen: (4) Effizienz (zweckrationale Überlegungen), (5) Legitimität (wertrationale Überlegungen), (6) Vorhersehbare Folgen (verantwortungsethische Überlegungen).

(4) Die Frage nach der Effizienz

Mit dem Urteilskriterium Effizienz werden folgende Fragen gestellt: (1) Erscheinen die eingesetzten Mittel bei dem angestrebten Ziel sinnvoll und vertretbar? Stimmt die Ziel-Mittel-Relation? (2) Stehen die Kosten in einem annehmbaren und vertretbaren (vernünftigen) Verhältnis zu dem angestrebten Nutzen? Stimmt das Kosten-Nutzen-Verhältnis?

Wir sind es gewohnt, die eigene Entscheidung, das eigene Urteil nach ökonomischen Maßstäben zu fällen. Ein Spaghetti-Gericht zum Preis von 40 Euro wird kaum jemand in einem Restaurant bestellen. Der Preis erscheint für die zu erwartende Leistung zu hoch. Auch bei der Beurteilung einer politischen Entscheidung lohnt es sich, das Urteilskriterium Effizienz anzuwenden. Ein Atomkraftwerk zu bauen, das ca. vier Milliarden Euro kostet, aber nie ans Netz geht, ist eine politische Fehlentscheidung. Die Kosten entsprechen nicht dem dadurch erzielten Nutzen.

Wir alle stellen bei der Urteilsbildung oft zweckrationale

Überlegungen an, ohne uns dessen bewusst zu sein. Diesen Urteilsweg haben viele Bürger/-innen verinnerlicht. Wer politisch Verantwortliche beurteilt, sollte deren „Politik“ stets auch aus ihrer Sicht zu verstehen versuchen. Dazu können wir stellvertretend für eine Politikerin oder einen Politiker fragen: Rechtfertigt das Ziel die angewandten Mittel? Stehen die Kosten in einem vertretbaren Verhältnis zum angestrebten Nutzen? Im Gegensatz zu den Bürgern/-innen benötigt der Politiker/die Politikerin Macht als „das unvermeidliche Mittel der Politik“ (Max Weber). Die Opposition kann die beste Problemlösung nicht durchsetzen. Daher muss sich ein Politiker/eine Politikerin fragen: Bedeutet die an sich vernünftige Problemlösung nicht zwangsläufig einen nicht hinnehmbaren Stimmenverlust bei den nächsten Wahlen? Ist die zweitbeste Problemlösung nicht ein gutes Mittel zum Gewinn von Mehrheiten in der Partei, in der Fraktion, in der Regierungskoalition oder bei Wahlen? So kann ein vorschnelles Urteil vermieden werden, das den Politikern/-innen nicht gerecht wird.

(5) Die Frage nach der Legitimität

Der freie Mensch und seine Würde bilden die Wurzeln demokratischer Grundwerte und der Menschen- und Grundrechte. Die Menschenwürde ist in der Charta der Vereinten Nationen (26. Juni 1945) und in der Allgemeinen Erklärung der Menschenrechte (10. Dezember 1948) verankert. Ihre Unantastbarkeit steht am Beginn des Grundgesetzes der Bundesrepublik Deutschland und der EU-Grundrechtecharta (7. Dezember 2000). Vom demokratischen Fundamentalwert der Menschenwürde leiten sich weitere demokratische Grundwerte ab.

Der Fundamentalwert Menschenwürde umfasst die demokratischen Grundwerte Freiheit, Gleichheit, Solidarität.

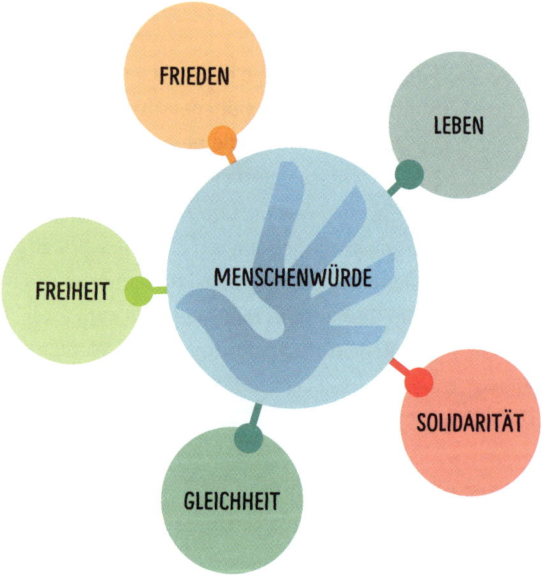

▸ **Freiheit als Grundanspruch menschlicher Würde:** Freiheit bildet den Grundanspruch menschlicher Würde. In Demokratien können Menschen ihr Leben frei gestalten und zur Mehrung von

Eigentum, zum Nichtstun, zur Bildung, zur Ausübung ihrer Religion oder zur Vertretung ihrer Meinung und zur politischen Beteiligung nutzen. Um Freiheit zu leben, bedarf es der Mündigkeit. Man muss den Mut haben, „sich seines Verstandes ohne Leitung eines anderen zu bedienen" (Immanuel Kant). Frei und mündig zu leben setzt Kenntnisse, Fähigkeiten und die Bereitschaft zur Anstrengung des selbstständigen Denkens und Handelns voraus.

- **Gleichheit vor dem Gesetz und bei politischer Beteiligung**: Nach dem Grundgesetz besitzen alle Menschen Würde. Alle Menschen haben Anspruch auf Freiheit. Diese Gleichheit findet ihren Ausdruck zum einen in der Gleichheit vor dem Gesetz. Gleichheit herrscht auch bei der politischen Beteiligung. Gleichheit gibt es nicht bei den Besitzverhältnissen. Hier Gleichheit durchzusetzen, würde eine unerträgliche Eingrenzung der Freiheit bedeuten.
- **Solidarität als Reaktion auf soziale Ungleichheit**: Die bei Freiheit und Gleichheit entstehende soziale Ungleichheit kann dazu führen, dass Menschen – verschuldet oder unverschuldet – in Armut und menschenunwürdigen Verhältnissen leben müssen. Um auch diesen Menschen ein Leben in Würde zu ermöglichen, ist Solidarität notwendig.
- **Leben als Grundvoraussetzung von Menschenwürde und Frieden zum Schutz des Lebens**: Ohne Leben kann es Menschenwürde und die Grundwerte Freiheit, Gleichheit/Gerechtigkeit und Solidarität nicht geben. Das klingt zunächst banal und selbstverständlich. Aber gerade im 20. Jahrhundert und auch

gegenwärtig in der Welt wurde und wird dieser Wert in unvorstellbarer Weise missachtet und mit Füßen getreten. Voraussetzung für den Schutz des Lebens bildet der Frieden. Nur im Frieden können sich die demokratischen Grundwerte im Zusammenleben der Menschen entfalten.

Grundwerte bedingen einander und schränken sich gegenseitig ein. Nur zusammen begründen sie die Würde des Menschen. Dominiert ein Wert über die anderen, dann ist die Menschenwürde gefährdet. Freiheit ohne Gleichheit (vor dem Gesetz) führt zu einem Leben ohne Sicherheit in Angst. Eine Dominanz der Gleichheit kann nur durch Unterdrückung der Freiheit herbeigeführt werden. Freiheit und Gleichheit ohne Solidarität vernachlässigt die Menschenwürde der weniger Erfolgreichen.

Das Grundgesetz schreibt die Unantastbarkeit der Menschenwürde fest. **Quelle: Fotolia/Marcito**

Demokratische Grundwerte	Werte, die demokratischen Grundwerten zugeordnet werden können
Leben und Frieden	Gewaltlosigkeit, Schutz der natürlichen Lebensgrundlagen
Freiheit	Freie Entfaltung der eigenen Persönlichkeit, Öffentlichkeit einer politischen Entscheidung (Transparenz), Kontrolle
Gleichheit/ Gerechtigkeit	Möglichkeit zur politischen Beteiligung (Partizipation), Gleichheit vor dem Gesetz
Solidarität	Sozialer Ausgleich, soziale Gerechtigkeit, soziale Sicherheit (Versorgung, Fürsorge)

Die Frage nach der Verallgemeinerbarkeit

Das eigene Urteil (die eigene Meinung, Entscheidung) kann wertrational zum einen auf die Vereinbarkeit mit der Menschenwürde und den demokratischen Grundwerten hin überprüft werden. Zur Prüfung der Legitimität kann man sich aber auch fragen, ob man eine Entscheidung selbst anstelle der davon betroffenen Menschen für annehmbar hält oder nicht (Frage nach der Verallgemeinerbarkeit). Spontan die Aufnahme der Flüchtlinge abzulehnen, fällt leicht. Wer aber die Lebensbedingungen in Lagern sieht und sich selbst an die Stelle der notleidenden Menschen setzt, dem fällt ein Urteil schwer. Er muss sich fragen, ob er auch als Flüchtling die Ablehnung der Aufnahme im reichen Deutschland verstehen und befürworten würde.

(6) Beurteilung der vorhersehbaren Folgen (verantwortungsethische Überlegungen)

Zur Prüfung des eigenen Urteils kann schließlich auch die Frage nach den vorhersehbaren Folgen einer politischen Maßnahme, Problemlösung oder Entscheidung gestellt werden. Bei der verbreiteten Neigung, politisches Handeln allein nach dem Kosten-Nutzen-Verhältnis zweckrational oder allein nach den Zielen wertorientiert zu beurteilen, erscheint es angebracht, eigens nach den vorhersehbaren Folgen der politischen Maßnahme und deren Verantwortbarkeit zu fragen.

Die Frage nach den vorhersehbaren Folgen verknüpft die beiden Urteilskriterien **Legitimität** und **Effizienz**. Ausschließlich nach Zielen und Werten zu urteilen und dabei die Kosten/Mittel sowie die voraussehbaren Folgen außer Acht zu lassen, ist ebenso unangebracht wie die Vernachlässigung der Wertebindung.

Feststellung eines Gesamturteils

Die Ergebnisse der einzelnen Urteilsschritte fallen oft unterschiedlich aus. Um die Urteilsbildung abzuschließen, müssen die Teilergebnisse miteinander verglichen, gegeneinander abgewogen und schließlich zu einem Gesamturteil zusammengefasst werden. Bei dem so gefundenen Ergebnis kann ein Urteilsschritt dominieren. Wer zum Beispiel ein Vermögen von mehreren Millionen Euro besitzt, wird voraussichtlich die Einführung einer Vermögenssteuer ablehnen, auch wenn er bei den meisten anderen Urteilsüberlegungen zu einer Zustimmung gelangt. Die eigene Interessenlage besitzt Vorrang; sie gibt den Ausschlag, die Vermögenssteuer abzulehnen.

Das Urteilen geht dem eigenen politischen Handeln voraus. Je gründlicher bei der Urteilsbildung vorgegangen wird, desto überlegter und angemessener fällt die politische Beteiligung aus. Urteilsfähigkeit gehört zu den Merkmalen der Bürgerrolle in der Demokratie.

Politische Urteilsbildung an einem Beispiel

Die politische Entscheidung

Die folgende Chronologie zeigt die Vorgeschichte der Entscheidung Bundeskanzlerin Merkels vom 5. September 2015, die in Ungarn gestrandeten Flüchtlinge nach Deutschland durchzulassen. Mit Hilfe des Politikzyklus kann man einzelne Phasen unterscheiden. 2015 wurde eine Aufgabe für Deutschland und die EU beinahe von Woche zu Woche so vordringlich, dass sie nicht mehr nicht wahrgenommen oder verdrängt werden konnte. Immer mehr Flüchtlinge versuchten, in die EU und insbesondere nach Deutschland zu gelangen. Ende August, Anfang September nahm der Druck so zu, dass eine Entscheidung unumgänglich wurde. Bundeskanzlerin Angela Merkel ließ die Flüchtlinge nach Deutschland einreisen.

Die Entscheidung bewirkte unterschiedliche Reaktionen und Bewertungen. Zunächst beeindruckte die Hilfsbereitschaft, mit der eine vorher kaum für mögliche Anzahl von Bundesbürger/-innen sich bei der Aufnahme von Flüchtlingen engagierte. Doch bald meldeten sich kritische Stimmen. Seitdem hat die Bundesregierung viele Maßnahmen zur Eindämmung der Flüchtlingszahlen ergriffen. Dennoch wird in der Bevölkerung und insbesondere zwischen den Parteien eine erbitterte Auseinandersetzung über die Aufnahme von Flüchtlingen geführt.

In der Bevölkerung wurde seit dem 5. September 2015 über kein anderes Thema so kontrovers diskutiert wie über die Aufnahme von Flüchtlingen. Der Einzug der rechtspopulistischen Partei „Alternative für Deutschland" (AfD) in mehrere Landesparlamente 2016 und in den Bundestag 2017 ist ohne das Flüchtlingsproblem nicht erklärbar.

Zeitungstext zur Chronologie des Flüchtlingsproblems 2015:

„Wir schaffen das!"

Seit Anfang Mai entspinnt sich eine neue Geschichte für Deutschland und für die Kanzlerin, nicht als großer Plan, sondern als eine rasende Folge von Aktion und Reaktion, beständig treiben die Ereignisse vom Aktuellen ins Prinzipielle:

7. Mai 2015: Bundesinnenminister Thomas de Maizière erklärt in Berlin, 450.000 Flüchtlinge würden dieses Jahr in Deutschland erwartet.

19. August 2015: Das Innenministerium korrigiert die Zahl steil nach oben: 800.000. Zwischen Mai und August liegen: eine dramatisch zugespitzte Lage in Syrien, im Nordirak, in Afghanistan, Hunderte toter Bootsflüchtlinge, ein Griechenland, das vollauf mit sich selbst beschäftigt ist, eine Türkei im Wahlkampf. Beide Länder winken die Flüchtlinge im großen Stil durch.

Knapp eine Woche später: Auf einem Treffen des Innenministeriums, der Bundesländer und des Bundesamts für Migration und Flüchtlinge (BAMF) stellt jemand die Frage: „Was machen wir mit den Leuten, die kommen, sollen wir sie nach Ungarn zurückschicken?" Man einigt sich darauf: Nein, das können wir nicht machen.

25. August, 4.30 Uhr: Das BAMF bestätigt über Twitter: „#Dublin-Verfahren syrischer Staatsangehöriger werden zum gegenwärtigen Zeitpunkt von uns weitestgehend faktisch nicht wei-

ter verfolgt." Der Tweet geht tausendfach um die Welt. Weder Angela Merkel noch ihr Kanzleramtsminister Peter Altmaier wissen davon.

25. August, zur Mittagszeit in Duisburg-Marxloh: Die Flüchtlinge würden als „Invasion" wahrgenommen, erklären Bürger der Kanzlerin auf einer Veranstaltung zum „guten Leben".

26. August 2015: Im sächsischen Heidenau wird Merkel von einem enthemmten Mob als „Volksverräterin" und „Hure" beschimpft.

31. August, Berlin: Merkel hält ihre Sommer-Pressekonferenz ab. Österreich und Ungarn haben Züge eingesetzt, um den Zustrom an Flüchtlingen nach Deutschland weiterzuleiten. „Wir leben in geordneten, sehr geordneten Verhältnissen", sagt die Kanzlerin, „die meisten von uns kennen das Gefühl völliger Erschöpfung, verbunden mit Angst nicht." Den Ausschreitungen werde der Staat mit aller Härte entgegentreten. Sie fügt hinzu: „Keine biografische Erfahrung rechtfertigt ein solches Verhalten." Die Journalisten stellen Fragen. Die Regierung wiederum fragt sich: Was machen wir mit den Zügen? Das Kanzleramt entscheidet, die Bedenken des Innenministeriums hinten anzustellen und die Züge nicht zurückzuweisen. Denn wie hätte das Abweisen der Flüchtlinge aus Ungarn konkret geschehen sollen?

1. September: Auf einem Budapester Bahnhof skandieren Syrer, Albaner und Iraker „Deutschland, Deutschland" und „Merkel, Merkel"; die Kanzlerin sieht es im Fernsehen, es berührt sie.

3. September 2015: Ungarn stoppt die Züge. Die Flüchtlinge machen sich zu Fuß auf den Weg. Sie laufen über Autobahnen, Bahngleise, Wiesen. Sie laufen nach Deutschland, zu Merkel.

4. September 2015: Die Bundesregierung rechnet damit, dass an diesem Wochenende der Höhepunkt des Flüchtlingsstroms erreicht wird. Dass man die Flüchtlinge nicht mehr aufhalten kann. Merkel ahnt, dass nun schlimme Bilder drohen. Bilder von überfahrenen Flüchtlingen, Bilder von Polizisten, die gegen verzweifelte Menschen vorgehen, womöglich Bilder von ungarischen Soldaten. Bilder, „mit denen Europa sich nicht hätte sehen lassen können“, sagt ein Kabinettsmitglied.

5. September: Merkel telefoniert mit dem ungarischen Regierungschef Viktor Orbán und dem österreichischen Kanzler Werner Faymann. Die Lage sei nicht mehr unter Kontrolle, sagt Orbán. Merkel und Faymann beschließen, eine Ausreise der Flüchtlinge zuzulassen. Der deutsche Vizekanzler wird in die Entscheidung eingebunden, doch hat das Telefongespräch mehr „den Charakter einer Unterrichtung“. Die Kanzlerin ist in Fahrt. Am späten Abend lässt Merkel den stellvertretenden Regierungssprecher Streiter erklären, Deutschland werde die Flüchtlinge nicht abweisen. „Wir haben jetzt eine akute Notlage bereinigt“, sagt Streiter. Keine große Rede an die Nation, keine Inszenierung markiert diese Entscheidung, die womöglich die wichtigste ihrer Amtszeit sein könnte. Pragmatismus mit historischen Folgen. […] Beinah stündlich kommen in der Woche danach Flüchtlinge in München an. „Wir schaffen das“, sagt Merkel.

(Quelle: www.zeit.de/2015/38/angela-merkel-fluechtlinge-krisenkanzlerin/seite-4)

Anwendung der Urteilskriterien und Urteilsfragen

- **Spontanes Urteil:** Wie beurteile ich eine politische Entscheidung bzw. einen dafür verantwortlichen Politiker/eine Politikerin spontan „aus dem Bauch" heraus?

Ohne große Vorüberlegung befürworten Bürger/-innen die Aufnahme von Flüchtlingen, andere lehnen dies ab. In den Septembertagen 2015 begrüßten viele, angespornt durch die Bundeskanzlerin, den Zuzug. Wer im Fernsehen die Notlage der Flüchtlinge sieht und insbesondere das Elend der Kinder hautnah in der Tagesschau erlebt, setzt sich spontan für sie ein. Inzwischen lehnen aber immer mehr Bürger/-innen eine unbegrenzte Aufnahme ab, weil sie das Gefühl haben, dass wir das nicht schaffen.

- **Eigenes Interesse:** Entspricht die politische Entscheidung meinem persönlichen Interesse? Handelt der Politiker/die Politikerin im Sinne meiner Interessen?

Die Mehrheit der Bevölkerung in Deutschland und in den EU-Staaten lehnt die Aufnahme einer großen Zahl von Flüchtlingen ab, weil die Kosten und die damit verbundenen Nachteile (unruhige Nachbarschaft, Gefahren) ihren persönlichen Interessen zuwiderlaufen. Dabei wird verdrängt, dass die Flüchtlinge fern von Deutschland und der EU in Lagern hinter Zäunen ein elendes Leben führen oder auf der Flucht umkommen.

- **Überprüfung des eigenen Urteils:** Ist mein Urteil mit den Menschen- und Bürgerrechten des Grundgesetzes bzw. mit dem Völkerrecht vereinbar?

In der Bundesrepublik Deutschland und in der EU wird immer wieder das demokratische Wertefundament betont. Eine Ablehnung der Flüchtlinge an den Grenzen ist mit dem Wertefundament des Grundgesetzes und der EU streng genommen nicht vereinbar, doch stehen entsprechend einem Zitat von Papst Franziskus die Menschenwürde und die Menschenrechte bei politischen Entscheidungen nicht an erster, sondern „erst an letzter Stelle".

- **Effizienz (zweckrationale Überlegungen):** Ist die Entscheidung geeignet, das angestrebte Ziel zu erreichen? Rechtfertigt das Ziel die angewandten Mittel? Stehen die Kosten in einem vertretbaren Verhältnis zum angestrebten Nutzen?

Angela Merkel versprach 2015: „Wir schaffen das." Hinter dem Wort „das" verbergen sich zwei Aufgaben: die Aufnahme bzw. Unterbringung der Flüchtlinge und ihre Integration in die deutsche Gesellschaft. Trotz einer kaum für möglich gehaltenen Hilfsbereitschaft sahen schon im Herbst 2015 viele Bürger/-innen das Verhältnis der Kosten für die Aufnahme zu dem Nutzen recht kritisch. Schon jetzt ist abzusehen, dass die Mittel für die Integration sehr hoch sein werden.

- **Legitimität (wertrationale Überlegungen):** Entspricht die politische Entscheidung den demokratischen Grundwerten? Würde ich anstelle der Flüchtlinge der Entscheidung zustimmen können?

Die Orientierung an der Menschenwürde und den demokratischen Grundwerten legt ein Eintreten für die Aufnahme der Flüchtlinge nahe. Bei der großen Zahl von Helfer/-innen kann dieses Wertebewusstsein angenommen werden. Andere versetzen sich in die Notlage der Flüchtlinge und wollen ihnen aus dieser Sicht heraus ein Leben ermöglichen, das auch ihnen selbst annehmbar erscheint.

- **Verantwortbarkeit der vorhersehbaren Folgen:** Sind die vorhersehbaren Folgen einer Entscheidung verantwortbar? Werden bei der Entscheidung die Wertebindung und die vorhersehbaren Folgen bedacht?

Schon im Herbst 2015 mahnten Politiker/-innen und Bürger/-innen an, bei allen wertrationalen Überlegungen auch die Folgen einer unkontrolliert erfolgenden Aufnahme von Flüchtlingen zu sehen. Bundespräsident Joachim Gauck fasste diese Haltung in dem Satz zusammen: „Unser Herz ist weit, aber unsere Möglichkeiten sind endlich." Die Politik leiste bereits sehr viel, das Machbare auch durchzusetzen.

Erprobung der Urteilsbildung an einem Zeitungstext

„Wir schaffen das nicht“ – Palmer reizt seine Grünen

Der Tübinger Oberbürgermeister Boris Palmer spricht sich für eine Obergrenze bei der Aufnahme von Flüchtlingen aus. Mit seinen Positionen bringt der Grüne seine Partei gegen sich auf. Der Grünen-Politiker Boris Palmer hat einem Zeitungsbericht zufolge für eine Grenze bei der Aufnahme von Flüchtlingen plädiert – und sich damit scharfe Kritik seiner Partei eingefangen. Es sei „wenig hilfreich, wenn Boris Palmer sich auf Facebook in die Reihe der vielen Bescheidwisser und Untergangsbeschwörer einreiht“, erklärten die Grünen-Landesvorsitzenden Thekla Walker und Oliver Hildenbrand gegenüber der dpa. Mit seinen Äußerungen verunsichere Palmer diejenigen Menschen, „die ohnehin schon verängstigt und besorgt sind“, sagten die Grünen-Chefs.

Sollten die hohen Standards bei der Unterbringung und bei den Integrationsbemühungen beibehalten werden, „dann muss man Maßnahmen ergreifen, die die Zugangszahlen begrenzen“, hatte der Tübinger Oberbürgermeister der […] gesagt. Die Kommunen seien auf Dauer mit dem starken Zustrom von Flüchtlingen überfordert. „Unter den jetzigen Bedingungen, wo täglich 10.000 Flüchtlinge nach Deutschland kommen, schaffen wir das nicht“, sagte Palmer. Ähnlich äußerte er sich unlängst in mehreren Einträgen auf seiner Facebook-Seite.

Der 43-Jährige Grünen-Politiker geht mit seinen Positionen in der Flüchtlingsdebatte auf Konfrontation mit weiten Teilen seiner Partei, die wie Kanzlerin Angela Merkel (CDU) Obergrenzen für die Aufnahme von Flüchtlingen ablehnen. Auch Ministerpräsident Winfried Kretschmann (Grüne) hat Merkel zuletzt für ihren Umgang mit der Flüchtlingskrise gelobt.

„Am Grundrecht auf Asyl darf nicht gerüttelt werden", betonten Hildenbrand und Walker. „Ein Aufnahmestopp lässt sich nur mit Stacheldraht und Schießbefehl durchsetzen. Das kann niemand wollen." [...]

„Boris Palmer läuft Gefahr, die eigene Partei zu spalten", sagte der linke Parteigrüne Jörg Rupp, der am vergangenen Sonntag aus dem Parteirat der Südwest-Grünen ausgetreten war. Er hatte diesen Schritt auch mit der grünen Asyl- und Flüchtlingspolitik begründet.

„In der Flüchtlingsfrage ist Herr Palmer auf der Linie mit der CSU – und rechts von der CDU", sagte Rupp. Bei der grünen Parteibasis gebe es deswegen massive Kritik an Palmer. „Doch auch für Herrn Palmer gibt es bei den Grünen Minderheitenschutz."

Auf seiner Facebook-Seite bekommt Palmer für seine Kommentare Kritik und Beifall gleichermaßen. „Es tut mir leid, wir schaffen das nicht", schrieb er dort bereits vor einigen Tagen. Der Eintrag erntete bis Mittwochnachmittag 2116 „Gefällt mir"-Angaben. Aber auch kritische Kommentare: „Bei welcher Partei war doch gleich der Herr? AfD, NDP oder doch CSU?", schreibt ein Nutzer. „Palmer wird wissen wovon er spricht! Wo sollen denn die ganzen Leute hin?", heißt es von einem weiteren Nutzer mit AfD-Logo als Titelbild.

(Die Welt vom 21.10.2015)

Der Text aus der Tageszeitung „Die Welt“ stammt vom Oktober 2015. Er informiert über die Position von Boris Palmer in der Flüchtlingsfrage, die eine große Medienresonanz findet. Seine Forderungen haben zu einer heftigen Auseinandersetzung in der Landespartei der Grünen in Baden-Württemberg geführt. Der Streit wird aber auch bis heute in der Bundesrepublik unter den Bürger/-innen in Familien, Vereinen, Schulen und an Stammtischen bis hinein in die Wahlkämpfe mit großer Heftigkeit ausgetragen.

Der Text fordert die Leser/-innen zu einer Stellungnahme (Urteilsbildung) heraus: Stimme ich Boris Palmer zu oder nehme ich in der Flüchtlingsfrage eine andere Position ein?

Zur Klärung ist zunächst einmal notwendig, sich über die Argumentation von Palmer klar zu werden. Palmer wendet sich nicht gegen die Aufnahme von Flüchtlingen. Er fordert aber eine Begrenzung der Zugangszahlen. Nur so könnten in Zukunft Unterbringung und Integration der Flüchtlinge geleistet werden. Wenn aber täglich 10.000 Menschen nach Deutschland kämen, seien die Kommunen überfordert. Maßnahmen zur Begrenzung der Zugangszahlen erscheinen demnach sinnvoll. Seine Feststellung „Wir schaffen das nicht“ hat bei seiner kommunalpolitischen Erfahrung Gewicht. Andere Argumente, die vielfach in diesen Diskussionen genannt werden, spricht Palmer laut Zeitungsartikel nicht an (Sicherheit, Angst vor möglichen Terroristen).

Gegen Palmers Position und Argumentation kann angeführt werden: (1) Vor allem dank der Anstrengungen der Kommunen und der Hilfsbereitschaft der Bevölkerung konnten bislang alle Flüchtlinge untergebracht werden. Gerade in den ersten Wochen und Monaten nach dem 5. September 2015 stellt das eine ungeheure Leistung dar. (2) Die Aufgabe der Integration ist viel schwieriger zu bewältigen als die Unterbringungen, aber auch hier wird viel geleistet. (3) Palmer nennt keine Maßnahmen zur Begrenzung der Zugangszahlen. Die Maßnahmen müssen vor der Einführung in jedem Fall auf ihre Übereinstimmung mit dem Grundgesetz überprüft werden. (4) Wirtschaftlich arme Staaten haben weit mehr Flüchtlinge aufgenommen als Deutschland. Dass ihnen dies möglich ist, spricht gegen eine Begrenzung der Zugangszahlen und kann daher zur Widerlegung der Argumentation Palmers angeführt werden.

Die Untersuchung des Textes zeigt, dass die gegen Palmer erhobenen Vorwürfe innerparteilich zugespitzt, emotional und aggressiv vorgetragen werden. Palmers „Wir schaffen das nicht" erscheint bei seiner kommunalpolitischen Erfahrung verantwortungsethisch durchaus vernünftig, nachvollziehbar und vertretbar. Wer sich spontan aus Mitgefühl für die Flüchtlinge oder aus seinem Wertbewusstsein heraus gegen einen Aufnahmestopp und damit für eine größere Aufnahme von Flüchtlingen als Palmer einsetzt, kann die eigene Position mit Argumenten verteidigen, doch gibt ihm der Tübinger Oberbürgermeister eine gute Gelegenheit, das eigene Urteil zu überprüfen. Und wer Palmer zustimmt, kann diese Position frei von dem Verdacht, aus eigennützigen oder gar rassistischen

Überlegungen heraus so zu denken, mit den Erfahrungen Palmers vertreten.

Die Untersuchung des Zeitungstextes bereitet die kritischen Leser/-innen auf die Diskussion im Bekanntenkreis und auf die Entscheidung bei anstehenden Wahlen vor. Man sieht sich aufgefordert, eigene und fremde Argumente Urteilskriterien zuzuordnen und zu gewichten. Vor allem aber lernt man, sich mit anderen Positionen so auseinanderzusetzen, dass man ihnen und ihren Vertretern bei allen damit verbundenen Emotionen mit Achtung und Respekt begegnet. Wer höflich und vernünftig Streitgespräche führen kann, fällt auf populistische Sprechweisen und deren Vertreter nicht herein, trägt zu einer demokratischen Streitkultur bei und stützt so die Zivilgesellschaft. Die Demokratie in unserem Land ist auf Bürger/-innen angewiesen, die mit ihren Emotionen und mit ihrer Vernunft eine Auseinandersetzung „menschenwürdig" zu führen imstande sind.

POLITISCHE BETEILIGUNG – MÖGLICHKEITEN FÜR BÜRGER/-INNEN

Einführung

Demokratie „leben“ und politische Beteiligung hängen miteinander zusammen. Wer gelernt hat, Vorgänge oder die Mitmenschen in seiner Umgebung bewusst wahrzunehmen, wer Maßstäbe besitzt, mit denen er sein eigenes Verhalten und das seiner Mitbürger beurteilen kann, wer sich angewöhnt hat, nicht alle Ereignisse passiv hinzunehmen, sondern Fragen zu stellen und auf Veränderungen hinzuwirken, der wird sich auch an der Politik beteiligen. Dazu ist die Fähigkeit zur Analyse von politischen Vorgängen, zur Urteilsbildung und zum politischen Handeln notwendig.

Die politischen Beteiligungsmöglichkeiten, die den Bürger/-innen offen stehen, nehmen sich auf den ersten Blick gering aus. In einer repräsentativen Demokratie üben die gewählten Volksvertreter für die Bürger/-innen Politik aus. Die „Normalbürger/-innen“ können sich in der Hauptsache darauf beschränken, Politik mit Verständnis und Kritik zu begleiten, so die politisch Verantwortlichen zu kontrollieren und sie bei der nächsten Wahl zu bestätigen oder abzuwählen.

Wer politisch handeln will, kann seine eigene Meinung im Gespräch mit anderen vertreten, an die Öffentlichkeit gehen (Unterschriftenaktion), sich organisieren (Bürgerinitiative, Verband, Partei) und politisch aktiv werden. Man kann sich auch zum bürgerlichen Ungehorsam bereitfinden und Anordnungen aus Protest nicht befolgen oder gewaltlosen Widerstand leisten (z.B. durch Beteiligung an einer Sitzblockade). Dagegen werden Polizei und Justiz vorgehen. Jeder sollte sorgfältig prüfen, ob das Anliegen, für das man sich bei dieser Beteiligungsform entscheidet, den Preis, den man dafür zu bezahlen hat, wert ist.

Gewaltanwendung stellt keine demokratische Beteiligungsmöglichkeit dar und ist in jedem Fall abzulehnen. Für einen Demokraten ist Gewalt kein Mittel der politischen Auseinandersetzung.

„Die da oben in Berlin machen ja doch was sie wollen! Wir da unten können ohnehin nichts tun!" Mit diesen Aussagen rechtfertigt so mancher seine fehlende politische Beteiligung.

Die Demokratie ist aber auf Bürger/-innen angewiesen, die sich demokratisch (selbstständig, sozial- und umweltverträglich) verhalten, sich über Politik Gedanken machen und sich an Politik beteiligen.

Politische Beteiligungsmöglichkeiten in einer Demokratie

Sich demokratisch verhalten …

selbstständig denken und handeln	nicht Vordenkern folgen, sondern sich „seines eigenen Verstandes bedienen“ (Kant); sich eine eigene Meinung bilden; in Diskussionen die eigene Position vertreten, aber auch davon abweichende Meinungen anhören und ernst nehmen; für eigene Interessen eintreten und Konflikte austragen, aber auch Mehrheitsbeschlüsse anerkennen; in der persönlichen Umgebung (Schule, Freizeit) Verantwortung übernehmen
sich sozial verhalten	den anderen wahrnehmen; mit dem anderen gewaltfrei umgehen; den anderen als prinzipiell gleichwertig ansehen; sich dem anderen gegenüber anständig (fair und hilfsbereit) verhalten; sich für den anderen aus Mitgefühl oder Gerechtigkeitsempfinden heraus einsetzen
sich ökologisch verantwortungsvoll verhalten	sich für Umweltfragen interessieren; Umweltprobleme ernst nehmen; „in Verantwortung für die künftigen Generationen die natürlichen Lebensgrundlagen und die Tiere“ (Art 20 a GG) schützen

Seine Bürgerrechte wahrnehmen …

mit Behörden umgehen	auf Schreiben einer Behörde „aufrecht“ reagieren; sich für sein Anliegen bei der Verwaltung Gehör verschaffen, eine Gegendarstellung vorbringen; ggf. eine Dienstaufsichtsbeschwerde abfassen
für sein Recht eintreten	die Möglichkeiten des Rechtsstaates kennen und nutzen; wenn es geboten erscheint, den Rechtsweg beschreiten; das Petitionsrecht bei den Länderparlamenten, dem Bundestag und dem Europäischen Parlament nutzen

Politisch selbstständig denken …

sich informieren	auch den politischen Teil der Zeitung lesen; Nachrichten hören; sich im Internet über Politik informieren; täglich Tagesschau ansehen; politische Rundfunk- und Fernsehsendungen verfolgen; Wahlkampfveranstaltungen besuchen; politische Bücher lesen
sich eine eigene Meinung über Politik bilden	politische Vorgänge interessiert verfolgen; Aussagen, Ankündigungen und Versprechungen mit Skepsis aufnehmen; „Vordenkern“ mit Distanz begegnen; Vorgänge selbstständig analysieren und sich ein eigenes Urteil darüber bilden

eine eigene politische Handlungsorientierung entwickeln	nach der Bildung eines eigenen politischen Urteils über politische Handlungsmöglichkeiten nachdenken

Politisch aktiv werden ...

die eigene Meinung sagen	mit anderen über Politik reden; in Versammlungen sich mit Wortmeldungen, Beifall oder Protest beteiligen; undemokratischen (z.B. rechtsextremen) Argumenten widersprechen
an die Öffentlichkeit gehen	einen Leserbrief schreiben; eine Wandzeitung/Plakat anfertigen; sich an die Presse wenden
im Internet aktiv werden	sich im Internet aktiv an politischen Diskussionen beteiligen; politische Beiträge im Netz kommentieren oder teilen; einer (politischen) Gruppe in Facebook beitreten; sich an einer Onlinepetition beteiligen; an einem Flashmob mit politischem Hintergrund teilnehmen; Texte und Fotos mit politischen Inhalten ins Netz stellen; Politiker/-innen über Kurznachrichtendienste (z.B. Twitter) kontaktieren
sich organisieren	sich mit anderen zusammentun, um etwas durchzusetzen; eine Demonstration organisieren; sich an einer Bürgerinitiative beteiligen; Mitglied in einem Verband oder einer Partei werden

politisch aktiv werden	zur Wahl gehen; an einer Bürgeranhörung teilnehmen; Bürgerbegehren unterstützen; sich an einem Bürgerentscheid beteiligen; für politische Forderungen demonstrieren; Aufgaben in einer Bürgerinitiative, einem Verband oder einer Partei übernehmen; bei Wahlen kandidieren; als gewählter Vertreter Verantwortung übernehmen
sich unkonventionell verhalten	bürgerlichen Ungehorsam beweisen; gewaltlosen Widerstand leisten (Vorsicht! Vorhersehbare Folgen abwägen!)
keine Gewalt anwenden	Gewalt ist kein Spaß und hat in einer Demokratie keinen Platz. Gewalt ist bei uns kein Mittel der politischen Auseinandersetzung. Gewaltanwendung wird als Verbrechen bestraft. Gewalt führt zum „Krieg aller gegen alle" (Thomas Hobbes).

Die einfachste Möglichkeit der politischen Beteiligung: Der Gang zur Wahlurne. **Quelle: fotolia/alphaspirit**

RECHERCHETIPPS

Die Suche nach Zeitungstexten oder Texten im Internet ist nicht immer leicht, ganz abgesehen vom zielgerichteten Durchlesen eines Zeitungstextes. Einige Hinweise sollen den Umgang mit Zeitungstexten erleichtern.

Zeitungen in Deutschland (eine Auswahl)

Zeitungstypen	Verbreitung	Charakteristika
Boulevardzeitungen		
z.B. Bild-Zeitung	Boulevardzeitungen haben eine sehr hohe Verbreitung im Bundesgebiet.	Boulevardzeitungen sind mehr auf Unterhaltung als auf Information ausgerichtet.
Regionalzeitungen		
z.B. Badische Zeitung Freiburg, Neue Osnabrücker Zeitung, Braunschweiger Zeitung, Magdeburger Volksstimme, Haller Tagblatt, Backnanger Kreiszeitung	Regionalzeitungen besitzen in ihrer Region oftmals eine Monopolstellung.	Die Texte zur Politik sind relativ kurz gehalten und leicht verständlich. Kontroverse Standpunkte werden berücksichtigt. Die Zeitungen sind um Ausgewogenheit bemüht.

Überregionale Tages- und Wochenzeitungen

Beispiel siehe unten	Überregionale Tages- und Wochenzeitungen haben im Vergleich zu Boulevardzeitungen eine geringe Auflage.	Ausführliche und anspruchsvolle Texte. Kontroverse Standpunkte werden berücksichtigt. Die Zeitungen sind um Ausgewogenheit bemüht.

Beispiele für überregionale Tages- und Wochenzeitungen

Name der Zeitung	**Politische Ausrichtung**
Die Welt	konservativ-liberal mit hanseatischem Anstrich
Frankfurter Allgemeine Zeitung	liberal-konservativ, sorgfältig recherchierte und ausführliche Berichterstattung (weltweit und auf die Bundesrepublik bezogen)
Süddeutsche Zeitung	liberal
Frankfurter Rundschau	sozial-liberal mit Frankfurter Lokalteil
taz	engagiert, sozial und umweltfreundlich, nicht immer um Ausgewogenheit bemüht
DIE ZEIT (Wochenzeitung)	politischer Teil liberal, Wirtschaftsteil konservativ, Feuilleton kenntnisreich und mit großer Bandbreite

Textformen einer Zeitung

Textform	Erläuterung
Nachricht	Informationstext zu einem aktuellen Ereignis. Nachrichten haben immer einen logischen Aufbau. Das Wesentliche, der Kern der Nachricht, steht am Anfang. Gegen Ende findet sich das weniger Wichtige (z.B. genauere Erläuterungen oder Hintergrundinformationen). Dieser hierarchische Aufbau bietet entscheidende Vorteile: Leser/-innen, die wenig Zeit haben, erkennen das Wesentliche auf einen Blick.
Bericht	Der Bericht ist die Langform einer Nachricht.
Reportage	Lebendiger Bericht unmittelbar vom Ort des Geschehens (z.B. von einem Parteitag, von einer Bundestagsdebatte, von einem politischen Ereignis). Sozialreportagen berichten von den Lebensbedingungen der Menschen (z.B. Bericht über eine Familie, die in Armut lebt).
Kommentar	Der Kommentar bezieht sich auf eine Nachricht. Die Autorin bzw. der Autor des Kommentars geben in meinungsbildender Absicht ihre Stellungnahme zu einer aktuellen Nachricht ab.
Leitartikel	Meinungsbildender Text, häufig auf Seite 1, verfasst von den wichtigen bzw. bekannten Redakteuren/-innen einer Zeitung

Zielgerichtetes Lesen

Verschiedene Lesetechniken erleichtern die genaue Erfassung eines (Zeitungs-)Textes:

1. Einen Zeitungstext sollten Sie zuerst im Zusammenhang **sorgfältig lesen**.
2. Danach sollten Sie **unbekannte Begriffe** klären. Zur Klärung unbekannter Begriffe und für die Recherche bietet sich das Internet an.
3. Sie machen sich klar, in **welcher Zeitung** (mit welcher Ausrichtung) der Text erschienen ist, und um **welche Textform** es sich handelt (siehe Seite 86 ff.). Sie denken auch über die Autorin/den Autor nach, wenn sie/er Ihnen bekannt ist.
4. Die **Überschrift** erleichtert den ersten Zugang. Sie enthält eine Zusammenfassung des Textes oder eine wichtige Aussage als Botschaft. **Unterüberschriften** deuten häufig eine Gliederung des Textes an. Überschriften im Text geben zumeist den Inhalt eines Abschnitts im Text wieder.
5. **Die Aussagen des Textes** haben Vorrang vor Ihrer Meinungsbildung. Erst wenn Sie die Aussagen aus dem Text herausgearbeitet haben, können Sie dazu Stellung nehmen.

Hinweise zum Umgang mit Statistiken und Schaubildern

Unter Statistiken versteht man eine geordnete Menge von Informationen in Form von Zahlenwerten. Diese Zahlenwerte sind entweder in Form einer Tabelle angeordnet oder in Diagramme,

Grafiken bzw. Schaubilder umgesetzt. Wenn Zahlenwerte nach wissenschaftlichen Methoden ermittelt werden, haben sie den Vorteil, dass sie exakt und vergleichbar sind. Trotzdem ist bei der Interpretation von Statistiken Vorsicht geboten!

Beim Umgang mit Schaubildern haben sich folgende Arbeitsschritte bewährt:

1. Verschaffen Sie sich zunächst einen **Überblick** über den Aufbau der Tabelle bzw. des Diagramms. Klären Sie Begriffe und Abkürzungen.
2. Die **Tabellenüberschrift** kann eine erste Hilfe bei der Auswertung sein.
3. Werden **absolute Zahlen** (die uneingeschränkt Mengen und Häufigkeiten angeben) oder **relative Zahlen** (die einen Zusammenhang zwischen einem Zahlenwert zu einer anderen Größe herstellen) verwendet? Oder handelt es sich um **Indexzahlen**, bei denen ein bestimmtes Jahr – das so genannte Basisjahr – als 100 gesetzt wird und die anderen Jahre sich darauf beziehen?
4. Lassen sich aufgrund der Zahlen **Beziehungen, Verläufe** und (zeitliche) **Entwicklungen** formulieren?
5. Wichtig für die **Glaubwürdigkeit** ist, woher die Statistik stammt (Quellenangabe).
6. Prüfen Sie die **Aktualität** der Tabelle bzw. des Diagramms.

Schaubilder veranschaulichen Zusammenhänge grafisch und reduzieren aus Gründen der Anschaulichkeit den Inhalt auf das Wesentliche. Manche Schaubilder sind mit einem erläuternden Text versehen. Trotzdem ist es nicht immer leicht, sich in der Vielfalt von Formen, Farben und Linien zurechtzufinden. Genaues Hinsehen und **drei** gedankliche Schritte helfen beim Verständnis:

1. Erfassen Sie zunächst alle **schriftlichen Informationen**.
2. Nehmen Sie sich **systematisch die Kleinigkeiten** vor:
   - Was bedeutet ein Pfeil?
   - Welche Beziehungen stellen die Pfeile dar?
   - In welche Richtung gehen die Pfeile?
   - Aus welcher Richtung kommen die Pfeile?
   - Muss man das Schaubild von unten nach oben oder umgekehrt lesen?
   - Welche Bedeutung haben die verschiedenen Formen und/oder Symbole?
3. In einem dritten und letzten Schritt können Sie sich an die **Interpretation** des Schaubildes, Diagramms oder der Zahlenangaben machen.

Beispiele

Beim Umgang mit Zahlenangaben und Statistiken ist stets Vorsicht geboten! Frei nach Winston Churchill nutzen die Zahlenangaben dem Autor so viel wie eine Laterne einem Betrunkenen.

Sie dienen mehr der Stützung (der eigenen Argumentation) als der Erhellung.

Mit Zahlenangaben lassen sich kleine, eher unscheinbare Effekte in spektakuläre und reißerische Zeitungsnachrichten verwandeln. Einige Beispiele sollen diese verdeutlichen.

Im Hamburger Abendblatt konnte man am 1. Juli 1998 unter der Überschrift „Beißfrequenz" folgende Zeilen lesen: „ Hunde beißen am liebsten Männer, Katzen bevorzugen ältere Frauen und Pferde Mädchen." Dies – so die Zeitung – habe ein Mediziner aus Norwegen herausgefunden, der anhand von Verletzungen seiner Patienten/-innen das Beißverhalten von Tieren untersucht habe. Die amüsante Fehlinterpretation lässt sich rasch aufklären. Wer beobachtet, welche Menschen mit welchen Tieren umgehen, wird leicht entdecken, dass ein Pferd oft kaum eine andere Wahl hat, als ein in Pferde vernarrtes Mädchen zu beißen. Gleiches gilt für Katzen, die in der Regel von älteren Frauen gehalten werden. Ebenso wie für Hunde, die überdurchschnittlich häufig Männern gehören.

In Focus Online war Anfang 2012 folgende Schlagzeile zu lesen: „Hai-Angriffe: Doppelt so viele Tote wie 2010." Diese Nachricht erschreckte viele Leser/-innen, die ihre Ferien am Meer verbringen wollten. Die interessante Frage ist aber eine ganz andere: Wie viel ist doppelt so viel? 2010 wurden weltweit sechs tödliche Haiattacken registriert, 2011 hingegen zwölf. Mit anderen Worten: Die *absolute* Zunahme betrug sechs Todesopfer weltweit, die relative Zunahme tatsächlich „doppelt so viele".

Auch über die Rangfolge von statistischen Angaben kann man trefflich streiten. Die kleine Tabelle zeigt die während der Olympischen Sommerspiele in Peking 2008 gewonnenen Medaillen.

Land	Gold	Silber	Bronze	Insgesamt
USA	36	38	36	110
China	51	21	28	100

Wie erklärt es sich nun, dass die New York Times für die USA den ersten Platz reklamierte, die chinesische Zeitschrift People's Daily Rang 1 an China vergab? Die Erklärung ist simpel: Die New York Times zählte die Gesamtzahl der gewonnenen Medaillen. Die chinesische Zeitschrift nahm lediglich die Goldmedaillen als Maßstab ihrer Wertung.

Immer wieder sorgen Armutsberichte oder Armutsstatistiken für Schlagzeilen. Doch messen diese Berichte die tatsächliche Armut? Bei der Berechnung der Armutsquoten werden oft alle Personen gezählt, die in Haushalten leben, deren Einkommen weniger als 60 Prozent des mittleren Einkommens aller Haushalte beträgt. Erfasst werden also Personen, die weniger als 60 Prozent des mittleren Einkommens zur Verfügung haben. Problematisch ist, dass die Armutsquote allein an diesem Kriterium gemessen wird und nicht die absolute Höhe der Einkommen berücksichtigt. Wenn also alle Bundesbürger/-innen von heute auf morgen 1.000 Euro mehr im Monat verdienen würden, bliebe die Quote der von Armut Gefährdeten gleich.

Hinweise zum Umgang mit Karikaturen

Karikaturisten beobachten kritisch das gesellschaftliche und politische Geschehen. Auf ironische oder satirische Weise visualisieren sie in ihren Karikaturen soziale Probleme und aktuelle politische Konflikte. Karikaturen zu politischen Auseinandersetzungen veralten rasch. Im Gegensatz dazu behalten Karikaturen zu Problemen oftmals bis zu deren Lösung ihre Aktualität. Karikaturisten zeichnen herausfordernd einseitig und parteilich. Fast immer übertreiben sie. Die große Kunst einer Karikatur besteht für den Zeichner darin, den abstrakten Inhalt zu personalisieren oder scheinbar zu konkretisieren und so den Betrachtern zugänglich zu machen.

Eine Karikatur zeigt Politiker durch Hervorhebung besonderer Merkmale zumeist ironisch verfremdet. Die Leser/-innen freuen sich über das Aussehen und die zugespitzten Aussagen. Beim ersten Ansehen muss man lachen. Setzt man sich mit dem Inhalt aber näher auseinander, dann merkt man, dass das Verständnis einer Karikatur gar nicht so einfach ist. Die Botschaft präzise zu erfassen, fällt schwer.

Noch mehr gilt dies für Karikaturen, die Probleme thematisieren. Sie enthalten konkrete Personen in alltäglicher Umgebung. Der Vorgang, den die Karikatur darstellt, ist einem vertraut. Er steht aber für ein abstraktes, zumeist recht komplexes Problem. Die Darstellung macht den Zugang zunächst einfach. Man muss lachen. Wenn man aber erklären soll, warum man lacht, dann merkt man, wie mühsam die Deutung ist.

Auch für die Interpretation einer Karikatur hat sich eine Abfolge bewährt:

- Zunächst werden mit Hilfe der **Überschrift** und dem **Text** unter der Karikatur der **Anlass** und der **Themenzusammenhang** genannt.
- Akteure und Gegenstände einer Karikatur werden von Karikaturisten gerne auf Symbole reduziert oder symbolhaft verdichtet. Nach der Beschreibung wird erklärt, **für was die Symbole stehen**.
- Erst danach wird der **Sachverhalt** (soziales oder politisches Problem/Konflikt) abstrakt, aber in der übertriebenen, einseitigen und parteilich verzerrten Sichtweise des Karikaturisten genannt.
- So vorbereitet, können die Betrachter/-innen zu der Sichtweise des Karikaturisten Stellung nehmen. Die übertriebene, einseitige und provozierend verzerrte Aussage weckt das eigene politische Bewusstsein und fordert einen zu einem abgewogenen **Urteil** heraus.

Mögliche Fragen zur Analyse von Karikaturen	
Was?	Was ist zu sehen? Welches Thema/Problem ist zu sehen? Welche handelnden Personen sind dargestellt?
Wie?	Welche Auffälligkeiten gibt es? Wie werden Personen dargestellt? Welche Stilmittel verwendet die Karikatur?
Wer?	Wer hat die Karikatur gezeichnet? In wessen Auftrag? Was ist über den Karikaturisten und ggf. den Auftraggeber bekannt?
Wann?	Wann ist die Karikatur entstanden? Was wissen Sie über diese Zeit?
Warum?	Was will der Karikaturist erreichen? Wer oder was wird thematisiert? Warum wird gerade dies thematisiert?
Wirkung?	Welche Gefühle löst die Karikatur bei Ihnen aus? Wie wirkt sie wohl auf Betroffene? Wie wirkt sie wohl auf die Betrachtenden?

(Nach: Uppendahl 1978, S. 47 f.)

Ein Beispiel

Eine Überschrift fehlt. Der Liedtext aus einem alten Lied („Dessauer Marsch") hilft zunächst auch nicht, den Zusammenhang, in dem die Karikatur steht, zu benennen.

Daher muss die Interpretation der Karikatur mit der Beschrei-

„So leben wir, so leben wir, so leben wir alle Tage ..."

Quelle: Jupp Wolter

bung beginnen: Drei fröhliche Matrosen treiben auf einem Floß im Ozean. Die Sonne geht unter. Das Floß wird immer kleiner und damit seeuntüchtiger, da die Matrosen das Floß Stück um Stück verfeuern. Der Betrachter weiß: Wenn die Matrosen so weiter machen, werden das Floß und mit ihm die Matrosen sehr bald untergehen. Doch das scheint ihrer Fröhlichkeit keinen Abbruch zu tun. Fröhlich singen sie: „So leben wir, so leben wir, so leben wir alle Tage...". Offenkundig ist ihnen die Gefahr gar nicht bewusst, in der sie sich befinden. Der Leser aber besitzt die Gewissheit: So werden sie garantiert nicht alle Tage weiterleben. Bald wird es ein böses Erwachen geben und dann ist es zu spät.

Die Matrosen stehen stellvertretend für die Menschen auf dieser Erde. Sorglos verbrauchen wir die zum Überleben notwendigen Ressourcen. Wir stehen kurz vor dem Untergang, leben und verbrauchen aber fröhlich weiter, als ob es keine Gefahren und kein Morgen gäbe.

Diese Karikatur behandelt ein globales Problem und besitzt seit Jahrzehnten zunehmende Aktualität.

Recherchieren im Internet

Wer sich mit Politik beschäftigt, benötigt Zusatzinformationen. Dank des Internets kann man sich heute leicht rasch und umfassend informieren. Doch gerade im Internet können zeitaufwändige und wenig zielgerichtete Irrwege beschritten werden.

In den letzten Jahren erfreuen sich soziale Medien (Facebook, Snapchat, Instagram, WhatsApp oder Twitter) immer größerer Beliebtheit. Für viele Menschen sind die sozialen Medien das Tor zur Welt. 27 Prozent der Deutschen beziehen inzwischen einen Teil ihrer Nachrichten über das Netzwerk Facebook (Stand: November 2016). In der Altersgruppe unter 35 Jahren sind es sogar 37 Prozent. Mit Blick auf Texte, Berichte und Kommentare wird allerdings die Frage der Glaubwürdigkeit immer wichtiger. Viele Menschen glauben, dass die Nachrichten, die sie über die sozialen Medien empfangen, zutreffend und zuverlässig sind. Da aber niemand die Nachrichtentexte überprüft, schießen die verrücktesten Nachrichten und Theorien ins Kraut. Wer sich in den sozialen Medien bewegt, sieht irgendwann nur noch das, was die eigene Meinung bestätigt. Man empfängt nur noch Nachrichten, die der eigenen Vorstellungswelt entsprechen. Hier gilt es, mit den sozialen Medien kritisch umzugehen und ggf. mehrere Suchmaschinen zu benutzen (s. unten). Mehr noch: Auch die sozialen Netzwerke müssen in die Pflicht genommen werden. Löschungsanträge werden immer noch viel zu schleppend bearbeitet – oder gar nicht. Texte aus dem Internet dürfen nicht unkritisch übernommen werden. Personen, Institutionen und Organisationen (Parteien, Verbände, NGOs, Bürgerinitiativen) nutzen das Internet zur Selbstdarstellung und Eigenwerbung. Sie versuchen, die Benutzer/-innen zur Übernahme der eigenen Sichtweise zu gewinnen. Skepsis und Distanz sind daher angebracht.

Positiv stimmen mit Blick auf jugendliche Nutzer/-innen die Ergebnisse der Shell-Jugendstudie aus dem Jahr 2015:

„99 Prozent der Jugendlichen haben mittlerweile Zugang zum Internet [...]. Überdies verbringen Jugendliche heute wöchentlich durchschnittlich 18,4 Stunden online – doppelt so viel wie noch vor zehn Jahren. Gleichzeitig ist das Vertrauen in die Akteure und Betreiber der virtuellen Welt eher gesunken als gewachsen. 72 Prozent neigen zu der Auffassung, große Konzerne wie Google oder Facebook wollten das Internet beherrschen, drei Viertel der Befragten beteuern, sie gingen im Internet vorsichtig mit ihren persönlichen Daten um."

(Frankfurter Allgemeine Zeitung, 14.10.2015).

Durchführung einer Recherche

An sich ist die Durchführung einer Suchaufgabe einfach. Man gibt den Sachverhalt, den Namen einer Person, über die man Informationen erfahren will, oder der Institution, über die man etwas wissen möchte, bei einer gängigen Suchmaschine (z.B. Google, Firefox) ein und erhält sofort reichhaltig Auskunft. Man wird mit Mitteilungen förmlich überschwemmt. Die Aufgabe, Wichtiges von Unwichtigem zu trennen, ist schwierig. Eine klare Fragestellung hilft weiter. Man nimmt von der Informationsflut nur das zur Kenntnis, was einem bei der Beantwortung dieser Frage weiterhilft.

Bei einer Internet-Recherche helfen die folgenden Fragen weiter:

- Wie viel Zeit möchte ich für die Recherche aufwenden?
- Worüber genau möchte ich Auskunft erhalten?
- Mit welchen Namen und Begriffen grenze ich den Suchauftrag im Internet ein?
- Wie seriös und glaubwürdig ist die Quelle, über die ich Informationen beziehe?
- Sind die Informationen sachlich korrekt und seriös?
- Sind die Informationen aktuell? Ist ein Aktualisierungsdatum eingetragen?
- Ist die Strukturierung der Inhalte transparent, logisch und der Sache angemessen?
- Sind Informationen über den Anbieter gegeben? Wer, welche Einrichtung zeichnet für die Seite verantwortlich?
- Werden Quellen und Zitate korrekt angegeben?

- Welche Absichten werden mit dem gefundenen Text verfolgt?
- Soll ich beeinflusst werden?

Über 90 Prozent der Suchanfragen werden an Google gerichtet. Wie jede andere Suchmaschine verwendet Google Algorithmen, um die Suchergebnisse aus dem Internet zu generieren. Große Datenmengen können mithilfe von Algorithmen nach Mustern und Zusammenhängen durchforstet und ausgewertet werden. Sucht man ausschließlich bei Google, verlässt man sich allein auf diese Algorithmen. Andere Suchmaschinen bringen auf Anfragen andere Ergebnisse. Grundsätzlich gilt, dass man immer mehrere Suchmaschinen verwenden sollte. Erst ein Vergleich der gefundenen Informationen erlaubt deren Bewertung.

Suchmaschinen

Google	www.google.com
Yahoo	search.yahoo.com
Bing	www.bing.com
Ask	www.ask.com

Ein Recherchebeispiel

Im Zusammenhang mit der Partei Alternative für Deutschland (AfD) fällt oft das Fremdwort „Rechtspopulismus". Will man wissen, was damit gemeint ist, gibt man das Fremdwort in die Suchmaschine Google ein. An erster Stelle steht ein langer und nicht einfach zu lesender Text, der von Wikipedia angeboten wird.

Wem das zu langweilig und unverständlich erscheint, klickt das nächste Angebot an. Jetzt befindet man sich auf der Homepage der Bundeszentrale für politische Bildung (bpb). Nach einer kurzen und verständlichen Erklärung bekommt man weitere Links angeboten, mit denen man zu vertiefenden Informationen weitergeleitet wird.

Die Bundeszentrale für politische Bildung für die Recherche über Personen des politischen Zeitgeschehens und Sachverhalte zu nutzen, kann aus mehreren Gründen empfohlen werden: (1) Die Bundeszentrale für politische Bildung ist auf Politik spezialisiert. Ihre Informationen beruhen auf sorgfältigen und fachkundigen Untersuchungen. (2) Sie ist zur Neutralität verpflichtet. Man kann sicher sein, keine einseitige, womöglich parteipolitische Darstellung zu erhalten. (3) Die Bundeszentrale für politische Bildung bemüht sich um eine klare, leicht verständliche Sprache.

Neben der Bundeszentrale für politische Bildung gibt es in jedem Bundesland noch eine Landeszentrale für politische Bildung, die auf ihren Homepages ebenfalls Dossiers, Informationen zum politischen Zeitgeschehen und Links zu anderen Institutionen, Ministerien und Organisationen anbieten. In aller Regel kann man über die Homepages auch kostenfreie oder kostengünstige Zeitschriften und Bücher bestellen. Die Bundeszentrale für politische Bildung richtet sich mit ihren Angeboten (z.B. mit der Zeitschrift „Informationen zur politischen Bildung") an alle Bürger/-innen in der Bundesrepublik Deutschland. Wenn man sich einen raschen Überblick über die Angebote der Landeszentralen und der Bundeszentrale für politische Bildung verschaffen will, lohnt sich ein Blick auf www.politische-bildung.de. Dieses Informationsportal der Bundes- und der Landeszentralen informiert über aktuelle politische Themen und neue Publikationsangebote.

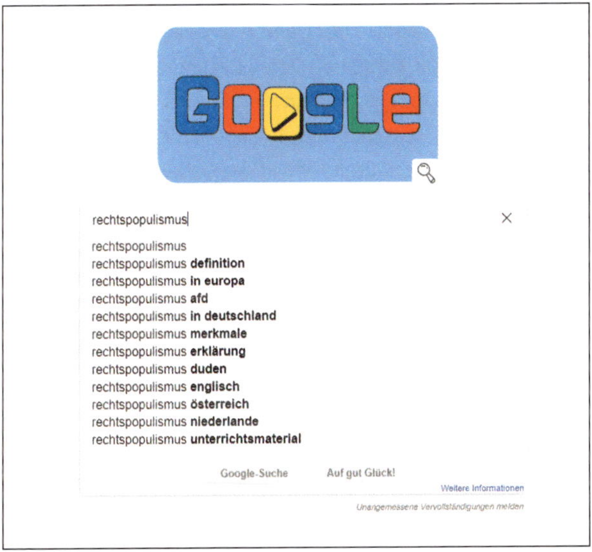

SCHLUSS

Der kleine Leitfaden will Unterstützung dabei geben, Politik zu durchschauen. Ob dieses Bemühen Erfolg hat, hängt allein von Ihnen ab. Ihr demokratisches Denken und Handeln tragen zum Bestand der Demokratie bei. Demokratie braucht Bürger/-innen, die sich für Politik interessieren und sich an ihr beteiligen. Bringen Sie die Bereitschaft auf, Ihre politischen Fähigkeiten zur Wahrnehmung Ihrer Bürgerrolle in der Demokratie zu nutzen. Dazu gehört Mut.

„Wir brauchen den Mut, zu sagen, was ist, und auch den Mut zu sagen, was nicht ist. Wir müssen den Anspruch, Fakt und Lüge zu unterscheiden, an uns selbst stellen. Das Vertrauen in die eigene Urteilskraft, das ist das stolze Privileg eines jeden Bürgers, und sie ist die Voraussetzung für jede Demokratie. Wir brauchen den Mut, einander zuzuhören, die Bereitschaft, das eigene Interesse nicht absolut zu setzen, das Ringen um Lösungen in einer Demokratie nicht als Schwäche zu empfinden, die Realität nicht zu leugnen, sondern sie verbessern zu wollen. Und wir brauchen den Mut, zu bewahren, was wir haben. Freiheit und Demokratie in einem vereinten Europa, dieses Fundament wollen, müssen wir miteinander verteidigen."

(Frank-Walter Steinmeier nach seiner Wahl zum Bundespräsidenten am 12. Februar 2017)

Literaturempfehlungen

GRUNDGESETZ FÜR DIE BUNDESREPUBLIK DEUTSCHLAND. Bonn. (erhältlich bei der Bundeszentrale für politische Bildung)

ACKERMANN, Paul / **MÜLLER**, Ragnar (2015): Bürgerhandbuch. Politisch aktiv werden, Öffentlichkeit herstellen, Rechte durchsetzen. 4., komplett überarbeitete und erweiterte Auflage. Schwalbach / Ts.

BAUER, Thomas K. / **GIGERENZER**, Gerd / **KRÄMER**, Walter (2014): Wahr oder wahrscheinlich? Über Risiken und Nebenwirkungen der Unstatistik. Frankfurt am Main.

MASSING, Peter / **BREIT**, Gotthard / **BUCHSTEIN**, Hubertus (Hrsg.) (2017): Demokratietheorien – Von der Antike bis zur Gegenwart. Texte und Interpretationshilfen. 9. Auflage, Schwalbach / Ts.

NOLTE, Paul (2015): Die 101 wichtigsten Fragen. Demokratie. München.

PETERSEN, Thomas (2015): Die Vermessung des Bürgers. Wie Meinungsumfragen funktionieren. Konstanz / München.

PRANTL, Heribert (2016): Trotz alledem! Europa muss man einfach lieben. Berlin.

SCHMIDT, Manfred G. (2016): Das politische System der Bundesrepublik Deutschland. 3., aktualisierte Auflage. München.

SCHUBERT, Klaus / **KLEIN**, Martina (2018): Das Politiklexikon. Begriffe, Fakten, Zusammenhänge. 7., aktualisierte und erweiterte Auflage. Bonn.

UPPENDAHL, Herbert (1978): Die Karikatur im historisch-politischen Unterricht. Freiburg / Würzburg.

WEBER, Max (1919; 1992): Politik als Beruf. Stuttgart.

Glossar

BÜRGER: Bürger sind freie und politisch vollberechtigte Einwohner eines Staates mit Rechten (Bürgerrechten), die in der Verfassung und in Gesetzen festgelegt sind, sowie Pflichten (z.B. die Einhaltung von Gesetzen, Steuerpflicht). Bürger eines EU-Mitgliedstaates sind zugleich auch EU-Bürger.

DEMOKRATIE: Demokratie kann man mit dem amerikanischen Präsidenten Abraham Lincoln als das Regieren des Volkes, durch das Volk und für das Volk bezeichnen. In Artikel 20 Absatz 2 Grundgesetz heißt es entsprechend dieser Definition: „Alle Staatsgewalt geht vom Volke aus“ (Regieren des Volkes). Die Staatsgewalt „wird vom Volke in Wahlen und Abstimmungen“ (Regieren durch das Volk) und „durch besondere Organe der Gesetzgebung, der vollziehenden Gewalt und der Rechtsprechung ausgeübt“ (Regieren für das Volk).

EUROPÄISCHE UNION (EU): Die EU kann man sich als eine Art Zweckverband mit eigenen Kompetenzen vorstellen. Die EU erfüllt Aufgaben, die europäische Nationalstaaten in einer globalisierten Welt zum Nutzen und Schutz ihrer Bürger allein nicht mehr bewältigen können. Um Einflussmöglichkeiten in der Welt zu behalten und neue hinzu zu gewinnen, geben die Mitgliedstaaten schrittweise Hoheitsbefugnisse und Zuständigkeiten an die EU ab. Gegenwärtig gehören zur EU (noch) 28 Staaten. Im Vereinigten Königreich stimmten 2016 knapp 52 Prozent der Wähler in einem Referendum für den Austritt Großbritanniens aus der EU (Brexit).

GEWALTENTEILUNG: Die Gewaltenteilung geht auf den französischen Staatstheoretiker Charles de Montesquieu zurück. Zum Schutz der Demokratie vor Gewalt und Willkürherrschaft werden die Exekutive (die vollziehende Gewalt, d.h. Regierung und Verwaltung), die Legislative (die gesetzgebende Gewalt, d.h. Parlament, Bundestag und Landtage) und die Judikative (das Rechtswesen) voneinander getrennt (s. Stichwort Demokratie). So kann die Legislative die Exekutive und die Judikative Exekutive und Legislative kontrollieren. Da Parlamentsmehrheit und Regierung durch zahlreiche Verschränkungen miteinander verbunden sind, bildet die Unabhängigkeit der Gerichte das wichtigste Element der Gewaltenteilung. Eine unabhängige Presse als sogenannte vierte Gewalt informiert die Öffentlichkeit und macht auf Gefahren für die Demokratie aufmerksam.

GRUNDWERTE: Grundwerte der Demokratie sind Freiheit, Gleichheit und Solidarität. Hinzu kommen die Grundwerte Leben und Frieden. Ohne den Grundwert Leben kann es die anderen Grundwerte gar nicht geben. Ohne den Grundwert Frieden können sich die drei Grundwerte Freiheit, Gleichheit und Solidarität nicht entfalten.

INTERESSE: Jeder Mensch verfolgt Interessen. Da Menschen sich für unterschiedliche Interessen (Geld, Macht, Ansehen, aber auch Werte, Normen, Ideen) einsetzen, kommt es bei Problemlösungen in der Familie, in der Gesellschaft und in der Politik fast immer zu Konflikten. Der beste Zugang zum Verständnis von Auseinandersetzungen ist die Frage nach den Interessen der daran beteiligten Personen, Verbänden oder Parteien.

LEGALITÄT: In einem demokratischen Rechtsstaat muss das Verhalten von Bürger/-innen, von gesellschaftlichen Gruppen wie Verbänden und Bürgerinitiativen sowie von Parlament, Regierung, Verwaltung und Rechtsprechung den Gesetzen entsprechen.

LEGITIMITÄT: Mit Legitimität wird die Rechtfertigung der Handlungen von staatlichen Gewalten bezeichnet. Nach dem demokratischen Legitimitätsprinzip gilt eine staatliche Ordnung nur dann als gerechtfertigt, wenn Herrschaft unmittelbar vom Volk oder mittelbar von einem vom Volk gewählten Parlament und einer vom Parlament kontrollierten Regierung ausgeübt wird.

MACHT UND HERRSCHAFT: Macht besitzt eine Person oder Gruppe, die ihre Ziele gegen die Widerstände anderer durchsetzen kann. In einem demokratischen Staat ist die willkürliche Ausübung von Macht ausgeschlossen. Mit Herrschaft wird die Ausübung von Macht im Rahmen eines institutionell festgelegten und kontrollierten Bereiches bezeichnet. Eine Regierung kann trotz großer Herrschaftsbefugnisse nicht alles machen, was sie für richtig hält. Sie muss sich an die Bestimmungen der Verfassung halten.

PARTEI: Parteien repräsentieren gesellschaftliche Interessen. Sie bekennen sich in ihren Programmen zu bestimmten politischen Werten und Zielen, artikulieren unterschiedliche Vorstellungen und prägen so mit ihren Positionen die politische Debatte in der Öffentlichkeit. „Die Parteien wirken bei der politischen Willensbildung des Volkes mit“ (Artikel 21 Absatz 1 Grundgesetz). Sie nehmen an Wahlen mit eigenen Kandidaten teil und streben dabei nach Präsenz und Mehrheiten in Parlamenten und Regierungen. Die innere Ordnung von Parteien muss demokratischen Grundsätzen entsprechen.

PLURALISMUS: Mit Pluralismus ist die freie Vertretung unterschiedlicher sozialer, wirtschaftlicher, wissenschaftlicher und politischer Interessen sowie weltanschaulicher Überzeugungen gemeint. Die freie Vertretung unterschiedlicher gesellschaftlicher und politischer Interessen durch Verbände und Parteien und eine auf Konkurrenz beruhende politische Willensbildung sind Kennzeichen eines demokratisch-pluralistischen Systems.

POLITIK: Politik kann mit den drei Dimensionen policy, politics und polity treffend beschrieben werden:

POLICY (INHALT): Diese Dimension des Politischen verweist auf Aufgaben und Ziele der Politik. Im Mittelpunkt stehen Probleme und Problemlösungsvorschläge.

POLITICS (PROZESS): Hier geht es um die Auseinandersetzungen zur Durchsetzung oder Verhinderung von Problemlösungen. Die Austragung von Konflikten und die Herbeiführung von Entscheidungen (in einer Demokratie häufig durch Kompromisse in einer Konsenslösung) geben Aufschluss über politische Kräfteverhältnisse, Einflussnahme und Interessen.

POLITY (FORM/HANDLUNGSRAHMEN): Diese Dimension des Politischen spricht den Rahmen an, in dem politische Prozesse zur Durchsetzung oder Verhinderung von Problemlösungen stattfinden. Bei innenpolitischen Problemen und Prozessen werden die Auseinandersetzungen durch die Verfassung, die Rechtsordnung und die Institutionen eines Staates kanalisiert.

POLITISCHE BETEILIGUNG: Eine Demokratie ist auf das Volk und damit auf die Mitwirkung der Bürger/-innen am politischen Willensbildungsprozess angewiesen. Politische Beteiligung setzt Informationen voraus (Bundespräsident Frank-Walter Steinmeier: „Informiert zu sein ist Bürgerpflicht – und ich glaube, Demokrat zu sein und uniformiert zu bleiben – das verträgt sich nicht.").

REPRÄSENTATION: Repräsentation ermöglicht organisiertes politisches Handeln in einem großen Flächenstaat. In Wahlen vergibt das Volk, d.h. die Bürger/-innen, Herrschaft auf Zeit. Durch Wahlen („Herrschaft durch das Volk") erhalten Abgeordnete in einer Volksvertretung (Parlament, Bundestag, Landtag, Stadtrat und Gemeinderat) den Auftrag und die Vollmacht, für die Wähler/-innen zu handeln und über komplexe Sachfragen und Probleme zu entscheiden. Ohne Repräsentation („Herrschaft für das Volk") wäre die Herrschaft des Volkes und durch das Volk gar nicht möglich. Zur Repräsentation in einem demokratischen Staat gehört die Entscheidungsfreiheit der Abgeordneten.

STAAT: Der Staat ist die politische Ordnungsinstanz einer Gesellschaft. Zu einem Staat gehören Staatsvolk, Staatsgebiet und Staatsgewalt. Der Staat besitzt das Monopol auf die Anwendung von Gewalt, die Gesetzgebung und die Rechtsprechung. Die Bundesrepublik Deutschland ist ein demokratischer Rechtsstaat, Sozialstaat und Bundesstaat (Artikel 20 Absatz 1, Artikel 28 Absatz 1 Grundgesetz).

WOCHEN SCHAU VERLAG

... ein Begriff für politische Bildung

STANDARDWERK

Peter Massing, Gotthard Breit,
Hubertus Buchstein (Hrsg.)

Demokratietheorien

Von der Antike bis zur Gegenwart
Texte und Interpretationshilfen

Das Standardwerk, neu aufgelegt, überarbeitet und mit neuen Kommentierungen. Die Einführung stellt zentrale Demokratietheorien vor – von den Klassikern bis zur Gegenwart.

Die Autoren ordnen Ausschnitte aus Originaltexten historisch ein, analysieren und kommentieren die Texte hinsichtlich ihres ideengeschichtlichen Hintergrunds und ihrer Bedeutung für die Gegenwart.

ISBN 978-3-89974640-2, 365 S., € 19,80

„Ein sehr empfehlenswerter Sammelband, der die vielfältigen Demokratietheorien in typischen Ausschnitten aus Originaltexten und in knappen, aber äußerst informativen Interpretationen vorstellt."

Forum Politikunterricht

Texte von

Heidrun Abromeit, Aristoteles, Anti-Federalists, Benjamin Barber, Edmund Burke, Cicero, Colin Crouch, Ralf Dahrendorf, Anthony Downs, Ernst Fraenkel, Jürgen Habermas, Alexander Hamilton, Herodot, Thomas Hobbes, John Jay, Immanuel Kant, Abraham Lincoln, Arend Lijphart, John Locke, Niklas Luhmann, Niccolò Machiavelli, James Madison, John Stuart Mill, Giovanni Pico della Mirandola, Charles de Montesquieu, Karl Marx, Marsilius von Padua, Anne Phillips, Platon, John Rawls, Jean-Jacques Rousseau, Giovanni Sartori, Fritz W. Scharpf, Joseph Schumpeter, Baruch de Spinoza, Thukydides, Alexis de Tocqueville, Max Weber

Kommentare von

Gotthard Breit, Hubertus Buchstein, Antonia Geisler, Philipp Harfst, Michael Hein, Dirk Jörke, Bernd Ladwig, Peter Massing, Volker Pesch, Kerstin Pohl, Klaus Roth, Rudolf Speth, Ingo Take

JETZT DEN AKTUELLEN NEWSLETTER BESTELLEN: WWW.WOCHENSCHAU-VERLAG.DE